Gustave Doré

un peintre-né

Magali Briat-Philippe,
conservatrice du patrimoine, responsable du service des patrimoines du monastère royal de Brou à Bourg-en-Bresse, commissaire de l'exposition

Sylvie Carlier,
conservatrice en chef du patrimoine, directrice du musée Paul-Dini de Villefranche-sur-Saône

Michèle Duflot,
bibliothécaire-documentaliste du monastère royal de Brou

Philippe Kaenel,
professeur titulaire d'histoire de l'art, maître d'enseignement et de recherche à l'université de Lausanne

Benoît-Henry Papounaud,
administrateur, directeur du monastère royal de Brou, commissaire de l'exposition

Jérôme Pontarollo,
historien de l'art, commissaire de l'exposition

Ouvrage réalisé sous la direction de Somogy éditions d'art
Conception graphique et réalisation : Marie Donzelli
Fabrication : Michel Brousset, Béatrice Bourgerie
Contribution éditoriale : Renaud Bezombes, Stéphanie Méséguer
Suivi éditorial : Lamia Guillaume

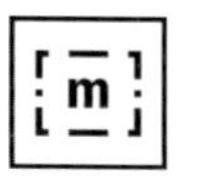

Gustave Doré

un peintre-né

12 mai – 16 septembre 2012

Exposition au Monastère royal de Brou, Bourg-en-Bresse

Fig. 13. ***Le Christ expirant sur la Croix,***
huile sur toile, 1885, collection particulière.

SOMMAIRE

PRÉFACES

ESSAIS ET CATALOGUE

ANNEXES

L'exposition a été organisée par la Ville de Bourg-en-Bresse et le Centre des monuments nationaux, avec le soutien de la direction régionale des affaires culturelles de Rhône-Alpes et du conseil général de l'Ain.

L'ÉQUIPE DU MONASTÈRE ROYAL DE BROU

Benoît-Henry Papounaud
administrateur, chef d'établissement, commissaire de l'exposition

Magali Briat-Philippe,
conservateur du patrimoine,
responsable du service des patrimoines, commissaire de l'exposition

Laetitia Carneiro-Gauthier
responsable du service des publics

Secrétariat, administration
Françoise Aujoulat, Yvonne Mandon
Jocelyne Roux

Communication
Nicolas Bouilleux

Service des patrimoines
Michèle Duflot, documentation
Romuald Tanzilli, régie des œuvres
Matthieu Lotoi, responsable de l'équipe technique
Céline Alves, Martine Clermidy, Christophe Couzon,
Morad Jalout, Patrick Vuillermoz

Service des publics
Christiane Banand, Caroline Bernard, Robert Bonomo, Patrick Carreras,
Arnaud Crémet, Chloé Crivello, Jean-Luc Deleu, Serge Dompnier, Carole Gourrat
France-Line Guillot, Jeanine Lefebvre, Jérôme Pontarollo, Pauline Renoult,
Hager Saïdi, Annick Scaringella, Edwige Thillet, Virginie Varrel, Céline Vaucher

Billetterie, boutique
Martial Blum, Françoise Franon, Diana Ghéno-Deturck, Madeleine Merle,
Francine Veuiller-Bourgeois

Stagiaires
Mathilde Bainville, Cyrielle Musumeci, Julie Pincot.

LES ŒUVRES ONT ÉTÉ RESTAURÉES PAR

Malaurie Auliac, Philippe Boulet, Gérard Blanc, Pascale Delodděre,
Colette Vicat-Blanc, Normandie Patrimoine (Caen).

REMERCIEMENTS

Nous tenons à exprimer notre reconnaissance aux prêteurs :

Angleterre

Londres, The Shorr Collection, dépôt au Bowes Museum
Londres, Whitford Fine Arts

États-Unis

Private collection, courtesy of Pandora Old Masters Inc.
New York

France

Belfort, musée d'Art et d'Histoire
Caen, musée des Beaux-Arts
Chamonix, Musée alpin
Cherbourg-Octeville, musées de Cherbourg
Dijon, musée des Beaux-Arts
Colmar, Conseil général du Haut-Rhin
Colmar, musée Unterlinden
Grenoble, musée de Grenoble
La Rochelle, musées d'Art et d'Histoire
Le Havre, musée Malraux
Lyon, galerie Michel Descours
Montpellier, musée Fabre
Mulhouse, musée des Beaux-Arts
Nancy, musée des Beaux-Arts, dépôt du musée de l'École de Nancy
Pau, musée des Beaux-Arts, dépôt du château fort et son musée pyrénéen de Lourdes
Paris, musée d'Orsay,
Paris, musée Carnavalet,
Paris, galerie Elstir
Paris, galerie Boquet et Marty de Cambiaire Fine Art,
Pontoise, musées de Pontoise
Reims, musée des Beaux-Arts
Strasbourg, musée d'Art moderne et contemporain
Toulon, musée d'Art
Troyes, musée des Beaux-Arts

Pays-Bas

Arnhem, Museum voor Moderne kunst

Ainsi qu'aux collectionneurs privés, français et suisses, qui ont souhaité garder l'anonymat.

Nos remerciements s'adressent également aux services de documentation et de photographie pour nous avoir fait parvenir les reproductions des œuvres ici présentées.

Que soient salués toutes celles et ceux qui ont permis l'aboutissement de ce projet d'exposition, notamment : Florence Aalbers, Nadiah Abdulrahim, Joseph Assémat-Tessandier, Lucie Audouy, Anne Autissier, Claire Badillet, Annika Baer, Joseph Baillio, Arik Bartelmus, Sylvain Bellenger, Catherine Bernard, Christophe Beyeler, Violette Boulet, Magali Bourbon, Damien Boutard, Nadia Bouzid, Jacqueline Briat-Freyssinet, Charles Buttner, Lester Carrissimi, Martine et Bernard Champenier, Camille Chochois-Pivin, Benoît Choné, Guy Cogeval, Flore Collette, Joël Delaine, Pantxika De Paepe, June De Philips, Gérard Deschamps, Michel Descours, Marcel Desfleurs, Anne-Marie Doledec, Anaïs Dorey-Klaeyle, Christophe Duvivier, Ben Ennaji, David Farmer, Françoise Ferrand, Brigitte Gaillard, Agathe Glaser, Annette Haudiquet, Michel Hilaire, Katie Holyoak, David et Jocelyne James, Charles Janoray, Anne Jouve, Sophie Jugie, François Julien, Ieva Kanepe, Frédéric Lacaille, Geneviève Lacambre, Joyce Lee, Louise Le Gall, Jean-Marc Léri, David Lewis, David Liot, Edmond Marchegay, Gilles de Margerie, Roland Marthaler, Emmanuel Marty de Cambiaire, Caroline Mathieu, Jean-Pierre Mélot, Agnès Mengelle, Adrian Mibus, Marie-Dominique Nivière, Annick Notter, Stéphane Paccoud, Gwilherm Perthuis, Denise Philippe, Estelle Pietrzyk, Anne-May Pignol, Eric Pillon, Marie-Françoise Poiret, Catherine Poletti, Patrick Ramade, Rémi Riche, Bozena Rombaut, Chantal Rouquet, Didier Rykner, Hedwig Saam, Jennifer Scott, Nicolas Surlapierre, Guy Tosatto, Brigitte Travert, Maïthé Vallès-Bled, Isabelle Varloteaux, Lucie Vivante, Nicole Zapata-Aubé,
ainsi que tous ceux dont nous nous excusons par avance d'avoir éventuellement oubliés...

Gustave Doré, un peintre-né

Qui n'a pas un jour posé un regard fasciné sur une gravure de Gustave Doré ? Quels yeux d'enfant ne se sont-ils pas émerveillés en tournant les pages illustrées par cet artiste ? Son imagination hors normes servie par une technique époustouflante, sa mise en image magistrale des plus grands textes, de *La Sainte Bible* à *Pantagruel*, de *Don Quichotte* aux *Fables* de La Fontaine, lui valent de figurer au panthéon des graveurs dont l'œuvre a fait l'histoire de l'art, patrimoine commun qui a forgé notre imaginaire collectif.

Mais, dans l'ombre immense de l'illustrateur, est demeuré en France un Doré méconnu, au mieux ignoré, souvent méprisé. Créateur prolixe, touche-à-tout, sculpteur, violoniste, ténor, acrobate, Doré confessait pourtant « être né peintre ». Doré, peintre ? Quelques musées français, plus encore étrangers, présentent bien sur leurs cimaises des tableaux de l'artiste, aux premiers rangs desquels le musée d'Art moderne et contemporain de sa ville natale, Strasbourg, et celui du monastère royal de Brou. Si la grande rétrospective que le musée de Strasbourg a consacrée à l'artiste en 1983 évoquait bien ce sujet, aucune étude, aucune monographie, et jusqu'alors aucune exposition ne s'est véritablement penchée sur cette facette du génie créatif de Doré. Il revenait donc à la Ville de Bourg-en-Bresse, près de laquelle le jeune Gustave reçut « une boîte de couleurs » révélatrice, de mettre en lumière l'aspect de son œuvre qui lui tenait le plus à cœur. Comme un clin d'œil à la Bresse, il réserva d'ailleurs les premières touches de son pinceau à une poule, une véritable poule dont il peignit les plumes en vert Véronèse !

À l'heure où le Centre des monuments nationaux inaugure sa saison « Monuments et Imaginaires » dont l'exposition à la Conciergerie ne manquera pas de mettre en valeur le nom de Doré, et avant même que le musée d'Orsay ne consacre en 2013 les talents protéiformes d'un artiste inclassable, l'exposition « Gustave Doré, un peintre-né » et le présent ouvrage sont une invitation à (re)découvrir sa sensibilité picturale.

Sombre et lumineuse, réaliste et visionnaire, la peinture de Gustave Doré est successivement exaltée, onirique, spirituelle. Celle qui faisait battre le cœur de l'artiste incompris, est un souffle, le dernier souffle du romantisme.

Jean-François Debat,
Maire de Bourg-en-Bresse
Vice-Président du Conseil régional Rhônes-Alpes

Guillaume Lacroix,
Maire adjoint délégué à la Culture et aux Relations internationales
Vice-Président du Conseil général

Isabelle Lemesle,
Président du Centre des Monuments nationaux

Avant-propos

En France, la peinture de Gustave Doré ne fut pas comprise. Quand le graveur sera porté aux nues, le peintre n'obtiendra jamais la reconnaissance espérée. Tout au contraire, il recevra les coups, subira les railleries et les moqueries. Dans cette dualité terrible il ne voyait qu'une véritable issue : tuer l'illustrateur. Les nombreuses critiques qu'il essuya contraignirent l'artiste à exiler son talent en Angleterre, où soufflait encore un certain esprit romantique, et où son œuvre visionnaire était saluée.

Au-delà de la lutte des genres et des catégories dont il fut la victime, il convient aujourd'hui d'examiner et d'interroger le sens de son œuvre peint. Déroutant, il peut l'apparaître au premier abord tant ses sources, sa culture, ses références, ses citations, ses hommages sont riches et témoignent de la capacité de Doré d'embrasser un monde disparu. Enthousiasmé par les univers des récits fondateurs, il se plaît à peindre le merveilleux, le féerique, l'onirique. Mais Doré vit dans son siècle, qu'il incarne peut-être plus que tout autre. Patriote, il renoue avec le grand genre, la peinture d'histoire, dont il transcende l'académisme par une vision sensible et personnelle. Touché par la foi, il consacre sa spiritualité dans des œuvres inspirées qui dépassent les normes et qui l'imposent comme l'un des grands peintres religieux de son temps. Fixant la majesté de paysages où la matérialité de la roche le dispute à l'évanescence des nuages et des arcs-en-ciel, Doré possède un sens profond de la Nature, dont il donne à voir toute la majesté. Réaliste, il consacre ses toiles les plus modernes aux mendiants, saltimbanques et autres miséreux, dont il s'est approché au plus près.

Consacrer une exposition à la peinture de Gustave Doré relève donc d'une gageure, tant l'œuvre est dense et les renoncements douloureux. Mais d'autres limites viennent circonscrire un tel projet. La dispersion des œuvres qui, pour la plupart, sont conservées à l'étranger, soit qu'elles aient été acquises directement auprès de l'artiste à Londres, soit qu'elles aient rejoint depuis sa mort et la vente de son atelier en 1885 les musées du monde entier. La difficulté de localiser certains tableaux qui, cités par les sources demeurent provisoirement soustraits au corpus (*Moïse devant Pharaon*, 1878, *La mort d'Orphée*, 1879). Enfin, le goût de Doré pour les formats démesurés, ambition qui ne lui est pas propre au XIXe siècle, mais dans laquelle il s'impose en maître, ne facilite pas la présentation matérielle de cet aspect de sa création.

Bien heureusement, de belles redécouvertes viennent combler ces manques, tel le merveilleux *Viviane et Merlin*. L'éclairage apporté par les œuvres graphiques permet également de rappeler que Doré fut un aquarelliste talentueux.

D'autres expositions s'ensuivront. D'autres travaux interrogeront sa peinture et avec elle les méandres du génie créatif de Gustave Doré. L'œuvre est immense, et l'histoire de l'art lui doit aujourd'hui la reconnaissance dont ses pairs l'ont autrefois privé.

Benoît-Henry Papounaud,

Administrateur du Monastère royal du Brou

Gustave Doré : la tentation du paysage et le rêve de l'histoire

par Philippe Kaenel

En 1879 paraît la première monographie consacrée à Gustave Doré. Son auteur, René Delorme, *alias* Saint-Juirs, est actif dans divers journaux littéraires et artistiques comme *Le Gaulois* ou *La Vie parisienne*. Critique d'art et critique dramatique, il est notamment l'auteur du *Musée de la Comédie-Française* (Paris, 1878), de plusieurs romans mondains intitulés *Une coquine* (1879), *Cherchez l'amour* (1881), *J'ai tué ma femme* (1880), ainsi que du *Petit Nab* (1881), illustré par l'un des grands admirateurs de Doré, Eugène Grasset[1]. Il publie également une *Françoise de Rimini* (1884) qui semble faire écho à l'une des œuvres charnières de l'illustrateur strasbourgeois : *L'Enfer* de Dante, édité par Hachette en 1861 et qui connaît au XIXe siècle des dizaines de rééditions, tant en France qu'en Italie, en Espagne, au Portugal, en Angleterre, en Allemagne, en Hollande, en Suède, en Russie, aux États-Unis[2]... *Gustave Doré, peintre, sculpteur, dessinateur et graveur* paraît en 1879 à la Librairie d'art Ludovic Baschet qui édite une revue intitulée *La Galerie contemporaine des illustrations françaises* de 1876 à 1880, publication périodique où figure une première version de la biographie de Doré par Delorme.

De grand format, le volume de 1879 comporte une centaine de pages. Il est enrichi de reproductions, d'illustrations et de peintures par la Maison Goupil qui, par ailleurs, assure la diffusion de l'œuvre de l'artiste, relayée depuis peu par la Doré Gallery, un espace d'exposition, de vente et d'édition londonien sur lequel nous reviendrons. *Gustave Doré, peintre, sculpteur, dessinateur et graveur* contient deux portraits photographiques de Nadar, fidèle conseiller, ami et promoteur de l'artiste à ses débuts. Dans le premier, Doré, saisi de trois quarts, assis à califourchon sur une chaise, semble regarder au loin. La seconde épreuve photographique s'inscrit dans un montage synthétique. Découpée en ovale, encollée, elle est entourée de dessins reproduisant au trait des scènes extraites des deux ouvrages majeurs qui encadrent la carrière de l'illustrateur : *L'Enfer* (1861) et le *Roland furieux* de l'Arioste (1879) **(fig. 1)**. Ces deux portraits mettent en évidence sur le revers de la veste de velours de l'artiste un signe de reconnaissance auquel il tenait vivement : la rosette de chevalier de la Légion d'honneur, obtenue en 1861 à la suite de la publication des ouvrages de Dante, puis remplacée par celle d'officier en 1879.

L'ouvrage de Delorme joue évidemment un rôle promotionnel et adopte un discours ouvertement militant. Cette étude occupe une place centrale dans l'historiographie et de manière plus large dans la construction de l'œuvre de Doré, qui s'élabore dans la littérature biographique et critique ainsi que dans les expositions posthumes et

Fig. 1. **Félix Nadar,**
Portrait de Gustave Doré en ovale,
photographie, 1879.

1. Danièle Chaperon et Philippe Kaenel, « Eugène Grasset, l'enlumineur », dans Catherine Lepdor (dir.), *Eugène Grasset : l'art et l'ornement*, Lausanne/Milan, 5 Continents, 2011, p. 27-46.
2. Pour la liste des éditions, voir Henri Leblanc, *Catalogue de l'œuvre complet de Gustave Doré*, Paris, Brosse, 1931.

rétrospectives. La table des matières de l'ouvrage de 1879 découpe la vie et l'œuvre dans l'ordre suivant : à « L'écolier-artiste », succèdent « Les débuts du dessinateur », « Les débuts du peintre », « L'œuvre dessiné », « La célébrité de Gustave Doré », « L'atelier de Gustave Doré », « Dessins patriotiques », « Doré aquarelliste et aquafortiste », « Doré sculpteur », « Gustave Doré et l'art décoratif ». Ce parcours s'achève avec trois chapitres intitulés « Quelques anecdotes », « 1878-1879 » et « Considérations générales ». Or, la présentation de l'œuvre par techniques artistiques contredit implicitement les intentions de cet essai qui s'emploie à attaquer le cloisonnement des pratiques dans l'art contemporain : « Comme l'industrie, l'art s'est avili par la division du travail, par la spécialisation poussée à l'excès [...]. Jamais la propriété des idées n'a été plus morcelée ; jamais la récolte de chacun, si petite. Il semble que l'on ait coupé par des barrières l'immense champ où les maîtres moissonnaient à pleine faucille. Le domaine de l'art est partagé maintenant en petits bosquets, comme le jardin des Invalides, où chacun a son carré et son pot de fleurs. Les peintres se sont divisés et subdivisés à l'infini. Tel artiste ne peint plus que des Alsaciens ; tel autre que des Italiennes. L'un s'est créé une spécialité éclatante en ne faisant que des panneaux de quelques millimètres carrés. Il en est qui se rendent célèbres en ne produisant que tous les trois ans. Leurs toiles sont rares ; on le sait et on se les arrache, sans penser que l'on donne ainsi une prime à l'impuissance. Il en est enfin qui érigent en principes absolus le dédain de l'idée, le mépris de la composition, l'absence de sujet. La fécondité, l'imagination, la force, ces qualités souveraines, sont devenues des défauts. Aujourd'hui, remuer beaucoup d'idées est une faute, aborder de grandes œuvres dans des genres divers est mal vu [...]. Combien les choses étaient différentes aux grandes époques artistiques, quand Raphaël, mourant à trente-sept ans, laissait une œuvre si considérable, quand Rubens brossait en quelques jours ses plus belles toiles, quand Michel-Ange s'honorait d'être à la fois sculpteur, peintre, architecte, général et poëte !

« Dans la décadence actuelle, un homme surnage. Trop fier et trop fort pour se courber sous le joug d'une mode, celui-là proteste contre l'internement de l'artiste dans une spécialité. Il pense et il produit. Il croit que l'art est libre et son domaine sans limites. Il aborde de front la fantaisie et la réalité, l'histoire et l'anecdote, le paysage et le genre. Pour exprimer ses idées, pour traduire ses sentiments, il emploie tour à tour le crayon, le pinceau, l'ébauchoir, le burin. Au service d'une imagination géniale, il met tous les procédés et toutes les formes d'exécution. Tout ce qu'il fait, tableau, sculpture, dessin, eau-forte, porte sa marque, une marque originale et personnelle. Cet artiste de grande race qui reste encore debout dans un siècle d'effacement général, cet homme qui ne s'est affilié à aucune coterie, à aucune petite Église, ce vaillant qui poursuit sa route noblement et consciencieusement, c'est Gustave Doré[3]. »

Nombre de critiques contemporains ont en effet rejeté l'œuvre de l'artiste autodidacte jugé excessif, trop prolixe, trop multiforme dans un marché valorisant la rareté et la spécialisation. Delorme imagine le domaine de l'art comme un *champ*, une métaphore agricole mais aussi sociologique, pertinente pour comprendre la dynamique de la production artistique contemporaine, les espaces qui la construisent et les acteurs

3. René Delorme, *Gustave Doré, peintre, sculpteur, dessinateur et graveur*, Paris, Baschet, 1879, p. 5-6.

Fig. 2. *Alcina et Ruggiero*, scène du *Roland furieux* de l'Arioste,
huile sur panneau, 1879, collection particulière.

qui l'animent. Par la suite, les monographies et les expositions consacrées à Doré, en reprenant ces catégories techniques et professionnelles (le graveur, le peintre, l'aquarelliste, le sculpteur…), ont implicitement reconduit ces distinctions tout en empêchant ou en retardant la compréhension d'un œuvre complexe reposant sur des échanges, des transferts, des reprises, des variations que l'on dirait aujourd'hui *intermédiales*.

À l'instar d'autres écrivains ou journalistes comme Théophile Gautier, Émile Zola, Albert Wolff, et bientôt Jules Claretie ou Victor Fournel, Delorme expose dans son étude le leitmotiv de la réception négative de l'œuvre peint. Il l'enrichit d'une dimension biographique et légendaire en recourant à des anecdotes, l'un des ressorts les plus caractéristiques des vies d'artistes depuis les fameuses *Vite* de Giorgio Vasari. L'un de ces microrécits particulièrement significatifs sera repris par les deux principaux biographes de Doré, le journaliste anglais Blanchard Jerrold en 1891 et la journaliste américaine Blanche Roosevelt en 1895. Il s'agit de l'épisode que l'on pourrait appeler de « la malédiction de la poule verte ». Il évoque « Un jour – un jour triste – où Gustave Doré avait eu à subir une déception dans son légitime orgueil, où il avait été attaqué dans son art, blessé dans ses convictions, dans sa foi de peintre :

– D'ailleurs, me dit-il en forme de conclusion, je devais m'y attendre. Il y a longtemps qu'on m'a prédit que la peinture ferait le désespoir de ma vie. J'étais haut comme cela, quand cette prophétie a été faite ; elle s'est terriblement réalisée depuis[4]. »

L'artiste raconte à Delorme comment, tout petit, il méprisait déjà les couleurs à l'eau et rêvait de tubes de couleur. Un jour, il reçoit enfin sa première boîte de couleurs à l'huile qu'il emporte lors d'un voyage en famille dans l'Ain (à Josserand, c'est-à-dire Jasseron). La nuit venue, le jeune Gustave ne peut s'endormir, débouche ses couleurs et, en l'absence de toile, s'empare d'une pauvre petite poule qu'il peint en vert Véronèse. À son réveil, il entend des cris car le volatile jette la terreur dans le village. En effet, selon une légende locale, une poule verte annoncerait les pires fléaux. Le père de l'artiste en herbe parvient non sans peine à calmer les natifs tandis que le bambin leur avoue son crime : « Une vieille femme qui était encore sous le coup de l'émotion qu'elle venait d'éprouver me dit alors d'une voix prophétique :

Vous avez bien fait pleurer le monde, vous pleurerez bien à votre tour, avec votre peinture ! »

À travers ce récit, Doré convertit en fatalité la réalité structurale de sa position dans le champ artistique et le phénomène d'exclusion dont il souffre[5]. Le rappel constant de ce « destin », à travers le verdict de la critique et des institutions artistiques, a peu à peu transformé sa susceptibilité, aussi précoce qu'intense, en un complexe de persécution caractérisé. Enfant, « un mot d'une bouche aimée le blessait », rappelle son ami d'enfance, Arthur Kratz, interrogé par Roosevelt[6]. Jeune homme orgueilleux, enfant gâté, il sera blessé à vif lorsque, de retour en Alsace en 1853, ses compatriotes négligent de le recevoir en artiste célèbre et en héros : « Ce fut la première et la suprême désillusion de sa vie. Il ne cessa plus de se considérer comme méconnu par ses compagnons d'enfance, et mésestimé de ses concitoyens[7]. » Pour la première fois, en effet, Doré ne peut renouveler un autre épisode également matriciel de l'enfance de l'artiste, rapporté par le même Kratz. En novembre 1840, une grande fête est organisée à l'occasion de l'inauguration d'une statue de Gutenberg sur le Vieux-Marché aux

4. *Ibid.*, p. 70 *sq.*

5. Voir Philippe Kaenel, *Le Métier d'illustrateur 1830-1880. Rodolphe Töpffer, J.-J. Grandville, Gustave Doré*, Genève, Droz, 2004, et *idem*, « Le plus illustre des illustrateurs : le cas Gustave Doré 1832/1883 », *Actes de la recherche en sciences sociales*, n°s 66-67, 1987, p. 35-46.

6. Blanche Roosevelt, *La Vie et les œuvres de Gustave Doré, d'après les souvenirs de sa famille, de ses amis et de l'auteur Blanche Roosevelt*, Paris, Librairie illustrée, 1887 [traduction de *Life and Reminiscences of Gustave Doré…*, New York, Cassel and Co, 1885], p. 32.

7. *Ibid.*, p. 128-129. Voir également (p. 138) la lettre que Mme Doré envoie à Paul Lacroix en 1854 : « Gustave est fou de confiance et de joie ; il regarde les déceptions avec mépris. Il refuse absolument de revenir en Alsace et dédaigne ceux de ses compatriotes qui ne l'ont pas assez bien reçu la dernière fois. Je prends un suprême plaisir à contempler ses rêves d'avenir. »

Fig. 4. ***Gargantua, éventail,***
crayon noir, aquarelle et rehauts de gouache sur vélin, collection particulière.

Fig. 3. ***Pendule, le Temps fauchant les Amours,***
bronze ciselé et doré, émail, 1879, musée des Arts décoratifs, Paris, inv. 7755.

Herbes, avec notamment un cortège mettant en scène diverses corporations (imprimeurs, peintres-verriers…). Quelques jours plus tard, le petit Gustave propose à ses camarades d'école de reproduire la fête de Gutenberg. Il organise le tout, décore les chars et décide d'occuper celui des peintres-verriers : « Gustave, en tête de celle [la corporation] qu'il préférait, s'était revêtu d'un costume approprié, la tête coiffée d'un chapeau Rubens, avec des ornements en papier. Il jouait à merveille l'artiste moyen âge. » En cours de procession, il exécute des dessins qu'il donne autour de lui : « Je n'ai jamais rien vu de plus fantastique que Gustave, perché sur son char, coiffé de son large feutre, vêtu de son singulier costume, la tête penchée sur le côté, puis tout à coup reprenant sa pose, traçant des silhouettes à grands coups de crayon et les distribuant ensuite avec noblesse et désinvolture, aux applaudissements de la foule. […] Les années s'écoulèrent, et j'avais presque oublié cet incident, lorsque Gustave lui-même me le rappela, un jour que nous parlions de notre enfance. […] "Je me souviendrai toujours de la première fois où je parus devant le public comme un artiste ; et ce fut alors que vous m'avez tous prédit que je deviendrais un grand peintre[8]." »

Tel est l'épisode originel de la vocation confirmée de l'artiste. Tel est l'idéal de la reconnaissance artistique que Doré rêve de rejouer sur la scène parisienne et internationale[9].

L'ombre du caricaturiste et de l'illustrateur

Comment regarder l'œuvre peint de Doré aujourd'hui ? La rétrospective organisée à l'occasion du centenaire de l'artiste au Petit Palais en 1932 comptait une dizaine de peintures à l'huile sur 469 numéros. Bien qu'agencée par rubriques chronologiques et

8. *Ibid.*, p. 34-37.
9. Sur cette question, voir Philippe Kaenel, *Le Métier d'illustrateur*, *op. cit.*

parfois thématiques, elle ignorait le paysage en tant que tel, les toiles sur le sujet se trouvant reléguées dans la rubrique « Divers ». Le parti pris de l'exposition était clairement annoncé par le conservateur du Petit Palais, Camille Grojnowski, dans sa préface : « La matière était abondante et même touffue ; contrairement à la méthode usitée dans la plupart des expositions, nous avons dû éliminer plutôt que pousser loin les sollicitations auprès des collectionneurs : il s'agissait, en effet, devant cette énorme production, de présenter seulement le plus intéressant [...]. Ses tableaux sont montrés ici avec discrétion, car ils ne constituent certes par le meilleur de sa production intarissable : son ambition était de devenir un grand peintre, et là, disons-le franchement, il a échoué[10]. »

L'explication de cet échec était donnée d'un point de vue moderniste : « Remarquons qu'il se tint toujours à l'écart du mouvement impressionniste et des recherches nouvelles qui transformèrent l'art du XIXe siècle à partir de 1860 environ. Il ne fréquenta pas Manet, Claude Monet, Sisley, et pas davantage Courbet et les réalistes. » Que dire dès lors d'Honoré Daumier, cet autre caricaturiste et dessinateur, peintre et sculpteur autodidacte à ses heures ? « Quant à Daumier, c'est un peintre d'une classe très haute, et pas simplement un lithographe comme le grand public l'a cru (et c'est bien singulier) pendant tout le XIXe siècle[11]. » De toute évidence, l'assomption du caricaturiste en artiste républicain, jointe à l'action des catalographes et collectionneurs et à la rareté relative de l'œuvre peint, avait produit des effets décisifs en l'espace de cinquante ans[12].

En 1954, une nouvelle rétrospective portait le titre suivant : *Gustave Doré. Catalogue des œuvres originales et de l'œuvre gravé conservés au musée des Beaux-Arts de Strasbourg*. Tout en rendant hommage à son concitoyen, le conservateur du musée, Hans Haug, commentait les toiles monumentales de l'artiste en ces termes : « La postérité a fait justice à ces immenses tableaux, qui avec la "Doré Gallery" de Londres, passèrent après la mort de l'artiste en Amérique où ils connurent, soixante ans plus tard, le triste sort de médiocres enchères. Mais si Doré est resté un peintre raté, les disciplines de la palette eurent une influence non négligeable sur ses dessins[13]... » En effet, un ensemble de toiles de cette galerie de tableaux, de dessins et de gravures, redécouvertes dans le Manhattan Storage Warehouse et mises aux enchères en 1947, venaient de trouver preneur essentiellement auprès de collectionneurs et d'institutions américaines[14]. En 1963, le musée de Brou présentait à son tour l'œuvre de Doré, réunissant pour l'occasion six toiles conservées dans des collections publiques françaises. Il faut toutefois attendre les années 1980, la grande rétrospective du musée d'Art moderne de Strasbourg et du musée Carnavalet ainsi que la publication par Annie Renonciat d'une monographie sur Doré pour que s'opère un réel tournant dans la réévaluation de l'œuvre peint. Les années 1980 coïncident d'ailleurs avec la hausse des cotes de l'artiste et une nouvelle politique d'acquisition de plusieurs institutions françaises, comme le musée du Petit Palais, le musée de Nantes, le musée d'Orsay, le musée de Brou et surtout le musée de Strasbourg, qui rapatrient plusieurs œuvres parfois de très grand format, les unes aujourd'hui roulées dans les réserves et les autres (*La Vallée des larmes*, *Le Christ quittant le prétoire*) installées de manière permanente aux

10. Camille Grojnowski, « Préface », *Exposition rétrospective Gustave Doré 1832-1883*, Paris, PUF, 1932, p. VIII-IX.

11. *Ibid.*, p. 18.

12. Michel Melot, *Daumier. L'art et la République*, Paris, Les Belles Lettres/Archimbaud, 2008.

13. Hans Haug, *Gustave Doré. Catalogue des œuvres originales et de l'œuvre gravé conservés au musée des Beaux-Arts de Strasbourg*, Strasbourg, Musées de la Ville, 1954, p. 6.

14. Voir Eric Zafran, « A Strange Genius: Appreciating Gustave Doré in America », dans Eric Zafran, Robert Rosenblum et Lisa Small (éd.), *Fantasy and Faith. The Art of Gustave Doré*, New York, Dahesh Museum of Art, New Haven et Londres, Yale University Press, 2007, p. 143-174.

15. Nadine Lehni, « Gustave Doré, peintre », dans *Gustave Doré 1832-1883*, Strasbourg, musée d'Art moderne et contemporain, Paris, musée Carnavalet, 1983, p. 57

16. Philippe Kaenel, « Livres, lectures, images, *littératies* : d'une reproductibilité technique à l'autre (à partir de l'œuvre de Gustave Doré) », dans *Des manuscrits antiques à l'ère digitales. Pratiques de lecture, échanges intellectuels et communication scientifique / From Ancient Manuscript to the Digital Era: Reading Practices, Intellectual Nework and Scientific Communication*, Claire Clivaz, Jérôme Meizoz, François Vallotton et Joseph Verheyden (éd.), en collaboration avec Benjamin Bertho, Lausanne, PPUR, édition digitale et papier (à paraître en 2012).

17. Par exemple dans Konrad Farner, *Gustave Doré der industrialisierte Romantiker*, Munich, Rogner & Bernhard, 1975 [1962] ; Joanna Richardson, *Gustave Doré. A Biography*, Londres, Cassel, 1980, 1983 ; *Gustave Doré, 1932-1883*, Londres, Hazlitt, Gooden and Fox, 1983 ; Annie Renonciat, *La Vie et l'œuvre de Gustave Doré*, Paris, ACR, 1983 ; Philippe Kaenel, *Gustave Doré, réaliste et visionnaire*, Genève, Le Tricorne, 1985 ; Dan Malan, *Gustave Doré: Adrift on Dreams of Splendor. A Comprehensive Biography & Bibliography*, Saint-Louis (Missouri), Malan Classical Enterprises, 1995 ; Eric Zafran, Robert Rosenblum et Lisa Small, *op. cit.* Une exception peut être faite en ce qui concerne l'œuvre graphique toutefois, bien reproduit dans *Gustave Doré, une nouvelle collection*, Strasbourg, Musée d'art moderne et contemporain, 1993.

18. Peut-être Philippe Félix Dupuis (1824-1888), portraitiste et peintre de genre ; plus vraisemblablement Alexandre Dupuis (mort en 1854), décoré en 1838, et auteur d'un *Enseignement général du dessin [...] méthode Dupuis basée sur le relief et la gradation* (1847).

19. Blanchard Jerrold, *The Life of George Cruikshank in Two Epochs*, 2 vol., Londres, Chatto and Windus, 1882, p. 236-237. L'œuvre en question n'a pas encore été retrouvée... pour l'instant.

Fig. 5. **Vue du Salon, avec *L'Ange de Tobie***
Administration des Beaux-Arts, Salon annuel de 1865 au Palais des Champs-Élysées, Paris, Archives nationales, Paris, F/21/7636 (*), folio 16.

cimaises de ces institutions. En 1983, la conservatrice du musée d'Art moderne, Nadine Lehni, conclut le chapitre du catalogue consacré à Doré peintre en relevant que « nous manquons encore d'éléments pour décider de la réelle valeur des peintures de Doré[15] ». Or, la valeur est fonction du regard porté par les spécialistes et le public sur l'œuvre peint, pour autant qu'il soit visible *in situ* (c'est le cas à principalement à Strasbourg) ou reproduit de manière correcte – ce qui a rarement été le cas jusqu'ici[16]. En d'autres termes, l'œuvre peint de Doré (en particulier ses débuts) reste difficile à saisir dans son ensemble aujourd'hui sur le plan qualitatif vu l'absence de catalogue raisonné, l'éclatement géographique des collections et le caractère aléatoire et médiocre des reproductions tant dans les catalogues d'exposition que dans les monographies[17].

Doré au salon

Doré est autodidacte, mais figure au Salon de 1853 (son quatrième en date depuis 1848) comme « élève de M. Dupuis »[18]. Ses deux premiers biographes anglo-saxons évoquent une première huile datant de 1849 : une scène de naufrage et de sauvetage à Boulogne-sur-Mer dont le jeune artiste a été le témoin et qui, dans les années 1890, se trouvait encore dans la salle principale de la Société humaine et des naufrages du port, selon Blanchard Jerrold[19]... Cette même œuvre a été vue par l'érudit Paul

Fig. 6. ***Scène alpine,***
huile sur toile, 1865,
The Art Institute of Chicago (Illinois).

Fig. 7. ***Catastrophe au mont Cervin,***
gouache, plume, vers 1865, musée d'Orsay,
Paris, conservé au musée du Louvre,
inv. RF29947 recto.

Lacroix, un proche de la famille, qui la décrit à l'attention de Blanche Roosevelt en l'associant toutefois à un séjour à Dieppe en 1848 : « Un pêcheur amarrait sa barque avant la tempête [...]. Il était gris comme le bateau, la corde et le reste [...]. Je partis d'un éclat de rire », déclare Lacroix qui souligne la réaction outrée du jeune artiste (« je ne suis pas né dessinateur, mais *peintre* »)[20]. La confrontation des récits en dit long à la fois sur les difficultés que l'on rencontre dans l'établissement du corpus et sur la fiabilité parfois douteuse des témoignages des contemporains.

En tant que peintre, Doré débute au Salon dans les années 1850 avec une série de paysages (*Pins sauvages* en 1850, *Le Lendemain de l'orage* (*montagne des Alpes*) en 1852, *Soir* et *La Prairie* en 1855), propose une scène de genre, *Les Deux Mères*, en 1853, et s'aventure dans le domaine de la peinture d'histoire avec une *Bataille de l'Alma* en 1855. En 1857, il ne présente pas moins de huit paysages : *Un torrent, L'Orage, Solitude, Un sommet de montagne dans les Alpes, Vue prise en Alsace* et *Un pâturage*, ainsi qu'une vaste peinture vantant les hauts faits militaires impériaux lors de la guerre de Crimée. Il s'agit de *La Bataille d'Inkermann* dont l'État fait l'acquisition pour la somme de dix mille francs et qui vaut à l'artiste une mention honorable. Pour résumer, les choix picturaux du jeune Doré sont à la fois pratiques et stratégiques. Ils reposent sur deux piliers : le paysage et la peinture d'histoire.

Doré investit le premier genre qui connaît un succès croissant au fil des Salons. Fait marquant, l'exposition de 1855 accorde des médailles de première classe à Théodore Rousseau, François-Louis Français et Jean-Baptiste Camille Corot, consacrant la nouvelle peinture de paysage. Le jeune Doré occupe d'ailleurs un créneau peu exploité, celui de la peinture de montagne, dont il devient l'un des représentants majeurs en France au XIXe siècle. Sportif, familier des guides de montagne comme le rapporte sa mère dans des extraits de correspondance, Doré, dès son plus jeune âge, se plaît à parcourir cols et cimes. C'est en France et en Espagne (à travers les Pyrénées), en Grande-Bretagne (il parcourt les Highlands) et surtout en Suisse (du côté de Montreux et dans les Alpes valaisannes), exceptionnellement en Autriche (dans le Tyrol, d'où il rejoint Venise, puis Rome), qu'il se dépayse.

Le paysage – dans sa dimension pittoresque, mais surtout sauvage et sublime – abonde dans l'œuvre peint, dans les nombreuses aquarelles qu'il lave dès les années 1870, et dans les dessins qu'il exécute pour la presse illustrée (le journal *Le Tour du monde*, de 1860 à 1873 par exemple), à l'occasion d'ouvrages illustrés (que seraient son Dante, son *Atala,* son Tennyson sans leur dimension paysagère ?), mais aussi, en premier lieu, au fil de ses albums satiriques. *Trois artistes incompris et mécontents...*, un in-quarto formé de vingt-cinq pages lithographié chez l'éditeur Aubert en 1851, débute avec l'excursion des trois « héros », le peintre Badigeon, le musicien Tartarini et l'auteur dramatique Sombremine, qui se rendent dans la nature pour « étendre leur réputation [...] par un chemin pareil à celui de la gloire » (telle est la légende de la vignette qui les montre peinant au milieu des rochers). Le dessin suivant **(fig. 9)** les saisit littéralement décoiffés par la nature tempétueuse : « Quelque temps encore, ils suivent les crêtes des montagnes, se livrant au souffle de leur inspiration. » Le ressourcement des artistes dans la campagne (un phénomène social et

culturel exemplifié par ce que l'on a appelé, rétrospectivement, l'« école de Barbizon ») devient dans ces années un topos de la presse satirique, dans l'œuvre de Daumier notamment[21]. Doré suit le mouvement. Une planche ultérieure de l'album en question montre le peintre en rase campagne, en train de faire le portrait d'un paysan au milieu de son troupeau de vaches : « Rebuté par la ville, Badigeon obtient à la campagne des commandes assez considérables – il fait le portrait d'un riche fermier entouré de ses biens[22]. » Dans l'album suivant qui sort de presses cette même année 1851, les *Des-agréments d'un voyage d'agréments*, Doré met en scène un certain monsieur Plumet, retiré de la passementerie, qui entreprend en compagnie de son épouse un voyage en Suisse dans le but d'y conquérir des cimes et d'y dessiner les paysages vus **(fig. 10)**. Lors de ses pérégrinations, il est frappé par un mouvement de foule : « Guide ! que veut donc dire cette agitation, cet émoi ? [...] – Comment M'sieur, vous ignorez donc que le célèbre Gustave Doré est dans les environs et qu'alors...
« Guidé par la voix secrète de la gloire, je trouvai le protégé de celle-ci dans un bas-fond sauvage. – Môssieu, et ami, lui dis-je enfin de l'accent le plus aimable, votre génie comique s'étend donc jusqu'à caricaturer le paysage. »
Dans la vignette ainsi légendée, Doré se présente en train de peindre *in situ* un vaste paysage de sapins ou de pins (le thème de sa première peinture exposée au Salon un an plus tôt) avec au premier plan le corps d'un homme étendu à plat ventre, qui vient de se tirer une balle dans la tête... « À cet apostrophe que j'avais cru flatteur, ce fils de la gloire s'offusqua – Dieu ! que ces célébrités de Paris pâlissent à être vues de près. » Dans la saynète suivante, Doré donne en effet à Plumet un coup de pied au derrière, avant de se réconcilier avec lui. « Je me trompai : ce jeune homme est doué d'un excellent cœur et d'une rare poésie. Le soir, il vit mon album et en fut si touché qu'il me conseilla de le publier chez Aubert à mon retour... ce que je ferai. »
Le ton de cette autoparodie, le jeu autour de la susceptibilité de l'artiste et de la hiérarchie des techniques et des genres sont encore envisageables à cette date. Doré, optimiste et conquérant, n'a pas encore subi les revers de la critique et du marché de l'art. On ne saurait d'ailleurs ignorer que ce n'est pas le paysage qui l'intéresse en termes de carrière et de reconnaissance. Il s'agit malgré tout d'un genre « inférieur » aux yeux d'un artiste qui s'efforce de faire oublier son métier de caricaturiste et d'illustrateur. Ainsi, Doré brigue les honneurs dans le grand genre de la peinture d'histoire et religieuse dès les années 1850. Les deux scènes de bataille monumentales qu'il propose aux Salons de 1855 et 1857 s'inscrivent en effet dans un projet global relayé et amplifié dans d'autres médias, dans la presse illustrée et *via* la gravure de reproduction. Par exemple, le *Musée français-anglais. Journal d'illustrations mensuelles* (*Musée français* à partir de 1858) est dirigé par Charles Philipon qui l'offre aux abonnés du *Journal pour rire*, dont Doré est incidemment l'un des dessinateurs de premier plan. Le premier numéro de 1855 propose en double page une représentation de la *Bataille d'Inkermann* **(fig. 11)**, sujet que le dessinateur transfère sur toile en 1857. Le même numéro illustre divers épisodes de la bataille de l'Alma que Doré expose cette même année aux cimaises du Salon. Les numéros qui suivent sont remplis de dessins en l'honneur de l'alliance franco-britannique : œuvres de pure imagination graphique,

Fig. 8. ***Paysage d'été,***
huile sur toile, vers 1860-1870,
Museum of Fine Arts, Boston.

20. Blanche Roosevelt, *op. cit.*, p. 96-98.
21. Notamment Anette Wohlgemuth, *Honoré Daumier. Kunst im Spiegel der Karikatur von 1830 bis 1870*, Francfort-sur-le-Main, Peter Lang, 1996.
22. Voir le chapitre sur Doré dans David Kunzle, *The History of the Comic Strip: the Nineteenth Century*, Berkeley, Los Angeles et Oxford, University of California Press, 1990.

basées sur des récits et sur les illustrations, sur des témoignages repris dans la presse internationale (en particulier l'*Illustrated London News* et *L'Illustration* parisienne). Qu'en est-il des sources photographiques ? Les trois cent soixante clichés fondateurs composant le reportage photographique commandé par la reine à Roger Fenton, effectués entre mars et juin 1855, sont certes exposés, mais ne connaissent pas une diffusion médiatique marquante à cette date, notamment parce qu'ils ne donnent pas à voir ce que le public attend des représentations guerrières : le feu de l'action, les moments de bravoure. La guerre de Crimée n'en joue pas moins un rôle crucial dans l'histoire de ces représentations et Doré compte au nombre des acteurs majeurs de cette histoire médiatique[23]. Dans ces années, le dessinateur strasbourgeois contribue par ailleurs à un supplément du *Journal pour tous* : trente et une scènes xylographiées et lithographiées sur *La Guerre d'Italie. Récit illustré de la campagne de 1859*, dont certaines sont réunies dans un album lithographique en couleurs cette même année, les *Batailles et combats de la guerre d'indépendance d'Italie*. Dans les années 1860, Doré abandonne toutefois l'iconographie militaire pour se concentrer sur ses grands projets d'illustration, sur le paysage et diverses scènes de genre au sein desquelles les mendiants occupent une place non négligeable. Autour de 1870, la guerre franco-prussienne et la guerre civile vont imposer avec une intensité nouvelle l'actualité brûlante, particulièrement traumatisante pour un Alsacien qui, avec la défaite, doit faire le deuil de sa patrie[24].

Le Journal amusant et le *Musée français-anglais* de Philipon puis, dès 1857, *Le Monde illustré* assurent la promotion de l'œuvre peint et dessiné de Doré, principalement dans le domaine de l'histoire, de la scène de genre dont font partie les thèmes littéraires mis à l'honneur par le romantisme. On ne soulignera jamais assez le tournant opéré en 1861 lorsque Doré édite son Dante illustré en même temps qu'il expose ses dessins d'après *L'Enfer* et surtout sa grande toile, *Dante et Virgile dans le neuvième cercle de l'enfer* **(cat. 74)**. En même temps, il obtient la Légion d'honneur, mais grâce à un ami influent, Paul Dalloz, alors rédacteur en chef du *Moniteur universel*, organe officiel du gouvernement. Dalloz est intervenu directement auprès du ministre d'État Walewski qui décore non pas le peintre, mais l'illustrateur[25].

L'art religieux et la Doré Gallery

La peinture religieuse va rapidement devenir le domaine de prédilection de Doré, surtout à partir de l'édition de sa monumentale Bible illustrée, en 1866. Dès 1858 pourtant, dans le *Musée français*, Doré propose deux sujets, *Le Calvaire* et *Le Christ bafoué*, qui préparent le terrain à cet autre genre historique dans lequel il souhaite *s'illustrer,* et dans lequel il connaît un succès au Salon de 1865, grâce à une petite toile, *L'Ange de Tobie* **(cat. 37)**, acheté deux mille francs : un succès qui ne devait toutefois pas se répéter dans les Salons subséquents. Ni *La Fille de Jephté et ses compagnes* (1867), ni *Le Massacre des innocents* (1872), *Les Martyrs chrétiens* (1871, **cat. 38**), *La Maison de Caïphe* (1875) **(fig. 13)**, *L'Entrée de N.-S. Jésus-Christ à Jérusalem* (1876) et les autres œuvres de grandes dimensions qu'il aligne dans les dernières années de sa vie n'obtiendront des échos critiques favorables et ne trouveront preneurs en France.

23. Voir Hélène Puiseux, « Un champ d'expériences : les images de la guerre de Crimée », dans *Les Figures de la guerre : Représentations et sensibilités 1839-1996*, Paris, Gallimard, 1997, p. 59-97 ; Ulrich Keller, *The Ultimate Spectacle: A Visual History of the Crimean War*, Amsterdam, Gordon and Breach, 2001 ; Ulrich Keller, « La guerre de Crimée en images : Regards croisés France/Angleterre », dans Michel Poivert et Régis Durand (éd.) *L'Événement : Les images comme acteur de l'histoire*, Paris, Hazan, Jeu de Paume, 2007, p. 8-49 ; Thierry Gervais, « Witness to War: The Uses of Photography in the Illustrated Press, 1855-1904 », *Journal of Visual Culture*, décembre 2010 vol. 9, nº 3, p. 370-384, ainsi que Jean-Pierre Bacot, *La Presse illustrée au XIXe siècle. Une histoire oubliée*, Limoges, Pulim, 2005 (surtout le chap. III : « Concurrence, élargissement et agenda politique », p. 69 *sq.*).

24. Philippe Kaenel, « "L'Année terrible" vue, rapportée, caricature, réimaginée et allégorisée par Gustave Doré », dans Yohan Ariffin et Anne Bielmann Sánchez (dir.), *Qu'est-ce que la guerre ?*, Lausanne, PPUR, Antipodes, 2012, p. 217-240.

25. Blanchard Jerrold, *op. cit.*, p. 136-137. C'est encore Dalloz qui obtiendra pour l'artiste le grade d'officier en 1878. Dans une correspondance adressée à son bienfaiteur, Doré tantôt lui demande d'entreprendre des démarches pour ce grade qu'on lui promet depuis douze ans, tantôt lui interdit de faire le moindre geste, car il ne veut pas avoir l'air de supplier (selon la description de la vente de l'Hôtel des commissaires-priseurs, 11-12 décembre 1956, nº 96)

Fig. 9. « Quelques temps encore, ils suivent la crête des montagnes, se livrant au souffle de leurs inspirations », *Trois artistes incompris et mécontents, p.1,* musée du monastère royal de Brou, Bourg-en-Bresse, inv. 965.1.

Fig. 10. « Guidé par la voix secrète de la gloire, je trouvai le protégé de celle-ci dans un bas-fond sauvage. – Môssieu, et ami, lui dis-je enfin de l'accent le plus aimable, votre génie comique s'étend donc jusqu'à caricaturer le paysage. ». « A cet apostrophe que j'avais cru flatteur, ce fils de la gloire s'offusqua – Dieu ! que ces célébrités de Paris pâlissent à être vues de près ». Dans la saynète suivante, Doré donne en effet à Plumet un coup de pied au derrière, avant de se réconcilier. « Je me trompai : ce jeune homme est doué d'un excellent cœur et d'une rare poésie. Le soir, il vit mon album et en fut si touché qu'il me conseilla de le publier chez Aubert à mon retour… ce que je ferai. » *Des-agréments d'un voyage d'agréments,* musée du monastère royal de Brou, Bourg-en-Bresse, inv. 981.65.

M. GUSTAVE DORÉ.
Dante et Virgile n'osant plus patiner sur le lac du bois de Boulogne, effrayés par la vue de nombreux accidents.

Fig. 11. *Bataille d'Inkermann*, *Musée français-anglais*, n°1, 1855, musée du monastère royal de Brou, Bourg-en-Bresse, inv. 984.3.

Fig. 12. Félix Nadar, *Dante et Virgile n'osant plus patiner sur le lac du bois de Boulogne, effrayés par de nombreux accidents,* Nadar - Jury au Salon de 1861, *Journal amusant*, 1861.

Pour cette raison même, Doré investit le monde anglo-saxon en se tournant vers l'illustration de Milton, Shakespeare, Tennyson, Coleridge et Poe et en investissant des espaces d'exposition tenus par des marchands. Ainsi, en 1867, trois toiles immenses, le *Dante et Virgile* de 1861, *La Fille de Jephté* et *Le Tapis vert. Scène de jeu à Bade*, ces deux dernières présentées au Salon cette même année, sont aux cimaises de l'Egyptian Hall, non loin de Piccadilly. Le show est introduit par une petite plaquette intitulée *Catalogue: Gustave Doré. Exhibition of Paintings*[26]. L'artiste accepte à la fin de l'année de préparer une exposition à la German Gallery, 168 New Bond Street, tenue par James Liddle Fairless et George Lord Beeforth. Le *Descriptive Catalogue by Tom Taylor M. A., of Pictures and Drawings by M. Gustave Doré on Exhibition at the German Gallery* en 1868 décrit les peintures suivantes : *Le Triomphe du christianisme sur le paganisme*, les portraits de l'éditeur Charles Philipon et de la cantatrice Adelina Patti, deux toiles à sujets espagnols : mendiants, intérieur de l'église de Séville, famille de paysans de Valence, divers paysages et surtout l'une des œuvres qui a connu le plus grand succès en peinture et en gravure, *Le Néophyte* (voir cat. 43 et texte p. 31). Une grande toile, *Le Triomphe du christianisme sur le paganisme*, et les droits de reproductions afférents lui sont alors payés huit cents livres, soit l'équivalent de vingt mille francs de l'époque, une somme qui n'est pas excessive étant donné le format de l'œuvre. En janvier 1869, Fairless et Beeforth déplacent la Doré Gallery au 35 New Bond Street, l'artiste trouvant que l'éclairage de la German Gallery « qui n'est pour [lui] qu'une tanière obscure, n'est bonne qu'à désenchanter sur [son] compte un public qui attend beaucoup de [lui][27] ».

Doré propose aux deux marchands londoniens diverses affaires. Il exécute des toiles commandées et rétribuées environ trois cents livres les paysages, ainsi que des copies peintes ou dessinées de ses propres œuvres, parfois d'après des photographies qui lui sont envoyées de Londres. Il dépose dans sa galerie des « épreuves d'artiste » de l'eau-forte qu'il a gravée d'après son tableau *Le Néophyte*, qui trouvent régulièrement acheteurs. Il reçoit également des droits sur la vente des gravures de reproduction commandées par les galeristes anglais et exécutées au burin d'après ses peintures, tailles-douces dont il critique parfois avec énergie l'infidélité et qu'il retouche occasionnellement pour en majorer le prix. Dès les années 1870, il est rétribué en bloc et par mensualités. Les moyennes annuelles se situent vers trois mille cinq cents et quatre mille livres, soit aux environs de cent mille francs[28], avec une pointe à plus dix mille livres (deux cent cinquante mille francs) en 1877. Ses prix augmentent au fil des ans. Ainsi, il encaisse plusieurs milliers de livres pour *Le Serpent d'airain*, deux mille pour le *Christ sortant du prétoire* (cinquante mille francs), et plus du double, soit quatre mille cinq cents livres, pour *L'Entrée du Christ à Jérusalem*[29]. De leur côté, Fairless et Beeforth tentent de faire fructifier les toiles de l'artiste ailleurs qu'à Londres – à Édimbourg par exemple[30]. Enfin, Doré propose à la Gallery de devenir éditrice de *The Rime of the Ancient Marriner* de Coleridge en 1876, pour s'affranchir du circuit éditorial traditionnel et récupérer leurs marges.

Dans la correspondance qu'il entretient avec ses marchands, Doré les incite à adopter des principes d'exposition spécifiques pour mettre en valeur les œuvres :

26. Sur la Doré Gallery, voir Blanchard Jerrold, *op. cit.* ; Dan Malan, *op. cit.* ; Eric Zafran, Robert Rosenblum et Lisa Small, *op. cit.*
27. Lettre de G. Doré à MM. Beeforth et Fairless, le 13 janvier 1869 (archives de la Doré Gallery, musée d'Art moderne et contemporain de Strasbourg).
28. Ces calculs confirment les dires de Blanche Roosevelt qui, de toute évidence, a eu accès aux mêmes sources il y a un siècle. Elle évalue en effet le montant total des sommes payées par MM. Fairless et Beeforth à 60 000 livres, soit 1 500 000 francs sur quinze ans (selon l'édition originale anglaise de Blanche Roosevelt, *Life and Reminiscences of Gustave Doré*..., New York, Cassel and Co, 1885, p. 346).
29. Selon les reçus signés de la main de Doré, extraits des archives de la Doré Gallery, conservées au musée d'Art moderne et contemporain de Strasbourg. Ces prix anglais contrastent fortement avec ceux – français – de la vente Doré de 1885, où la grande *Mort d'Orphée* du Salon de 1879 (530 x 705 cm) ne trouve preneur qu'à deux mille quatre cents francs, tandis que la plupart des paysages et scènes de genre ne partent en moyenne qu'à mille francs (Henri Leblanc, *Catalogue de l'œuvre complet de Gustave Doré*, Paris, Brosse, 1931, p. 533 *sq.*)
30. Lettre de G. Doré à MM. Beeforth et Fairless, le 21 janvier 1874 (archives de la Doré Gallery, musée d'Art moderne et contemporain de Strasbourg).

Fig. 13. ***La Maison de Caïphe,***
huile sur toile, 1875, Museum of Fine Arts, Houston.

« Je vous ai toujours dit que pour la Pilate's Wife, je rêvais d'un effet concentré et magique qui aidera à l'impression intime et mystique que je veux produire sur le public... » De même, il n'est pas favorable à la multiplication des œuvres au mur : « J'insisterai sur ce point, c'est de ne faire à l'avenir qu'*une rangée* ; l'impression de tout le monde et, la mienne aussi, est qu'une *deuxième rangée* est comme une dépréciation de volontaire [...] ce nombre de tableaux réunis dans la même salle les déprécie tant soit peu ; ou tout au moins n'est pas une habile chose au point de vue *spéculatif* », écrit-il le 10 novembre 1868, ceci « en vertu de cette loi vieille comme le monde, c'est que l'élévation du prix dans toute transaction commerciale est basée toujours sur la rareté du produit »[31]. Le 14 décembre, il revient à la charge pour bien se faire comprendre : « Vous aurez aussi à pareille époque de nouveaux tableaux, entr'autre scènes religieuses mais, contre cela je vous demanderai chaque fois de me réexpédier les anciens tableaux, car je ne saurais vous dire assez énergiquement, cher monsieur combien, désormais, je craindrais d'étaler *cette abondance* qui nuit à nos intérêts communs. C'est là, la faute commise ; et je veux déraciner avec force et aussi rapidement que possible un préjugé injuste et que j'avoue avoir moi-même encouragé, faute d'expérience[32]. »

Le ton adopté par Doré dans ces années avec ses correspondants anglais donne la mesure de la reconnaissance outre-Manche d'un l'artiste qui certes ne manquait pas de détracteurs sur place, mais dont le crédit était sans comparaison avec celui dont il jouissait (ou plutôt pâtissait) dans son pays. Au long de divers échanges épistolaires avec ses amis et proches, domine le sentiment du découragement et de l'échec. Le journaliste Victor Fournel en témoigne de manière synthétique au lendemain du décès de l'artiste : « Il souffrait de se voir renvoyé sans cesse à ses dessins, dont la gloire lui fut certainement plus d'une fois importune. Il souffrait non pas seulement de ses échecs répétés dans la grande peinture, mais des succès qu'on ne lui refusait pas dans l'aquarelle et le paysage, qui n'étaient pour lui que des amusements, ou tout au moins des travaux d'ordre inférieur, et ce contraste lui paraissait une nouvelle preuve d'un calcul machiavélique qui, sous de beaux semblants d'équité et en s'efforçant de justifier des critiques injustes par des éloges sans portée, le reléguait dans un genre où il n'était dangereux pour personne, en lui fermant celui où il était véritablement à craindre. Il souffrait d'être en Angleterre un homme de génie dont on commentait les œuvres et dont d'illustres prédicateurs prenaient parfois les toiles pour thèmes de leurs sermons – et de n'être en France, pour une critique hargneuse et pédante, qu'un ambitieux touche-à-tout[33]. »

Le spectaculaire en question

L'un des leitmotive de la critique contemporaine adressée aux œuvres de Doré porte sur leur format excessif. Le dessinateur maîtriserait l'espace de la page à la différence du peintre qui exécuterait des œuvres inadaptées aux cimaises ou à l'espace monumental. Plusieurs caricaturistes se sont emparés du thème, à commencer par Doré qui, nous l'avons vu, s'autocaricature dans les *Dés-agréments d'un voyage d'agrément* en s'imaginant face à un tableau de paysage immense. Dans une page

31. Lettre de G. Doré à MM. Beeforth et Fairless, le 10 novembre 1868 (archives de la Doré Gallery, musée d'Art moderne et contemporain de Strasbourg).
32. Lettre de G. Doré à MM. Beeforth et Fairless, le 14 décembre 1868 (archives de la Doré Gallery, musée d'Art moderne et contemporain de Strasbourg).
33. Victor Fournel, « Gustave Doré », *Les Artistes français contemporains*, Tours, Mame, 1884, p. 473..

du *Journal amusant,* le 15 août 1857, intitulée « À propos d'un tableau d'histoire », Penaville montre le jeune artiste en train de s'enfoncer littéralement dans la toile de *La Bataille d'Inkermann*, présentée au Salon cette même année. On lit dans la légende : « Sujet historique à grande voltige ; nous ne pouvons que féliciter l'auteur d'avoir eu l'idée toute patriotique de représenter nos zouaves faisant des tours de force de souplesse. Le peintre, entraîné par sa fougue, passe au travers de la toile. C'est ce qu'on peut appeler bien entrer dans le sujet. » Ce topos de l'artiste acrobate se retrouve dans une vignette de la série *Photo-biographie des contemporains* de Carlo Gripp qui, en 1867, le croque, juché sur une échelle dans son atelier, devenu le centre d'attraction d'un vaste public mondain. Gripp reprend ce même schéma dans *Le Bouffon*, le 2 juin 1867, une posture que l'artiste assume occasionnellement dans les quelques autocaricatures qui ornent sa correspondance durant les années de la Doré Gallery[34]. C'est également dans cette attitude (sur une échelle ou un échafaudage devant une toile gigantesque) que les photographes et journalistes contemporains le représentent **(figs. 14 et 15)**.

À travers ces formats parfois gigantesques, Doré fait preuve d'une ambition logique. La hiérarchie des genres, toujours active au XIXe siècle, s'exprime à travers l'échelle des formats – une adéquation souvent remise en cause, de manière polémique, par Courbet dans ses œuvres des années 1850. Le grand art est un art en grand. Mais l'ambition de l'artiste est assortie d'une méprise ou d'une erreur tactique : passer de la caricature, de la vignette, à la peinture monumentale tient du grand écart et fait nécessairement violence aux structures existantes. Ce geste excessif a été perçu et sanctionné comme tel dès les années 1850, et surtout en 1861, année cruciale de l'illustration de Dante en gravure et en peinture. Théophile Gautier, son défenseur de toujours, se singularise en affirmant que « cette longue intimité avec Dante lui a donné le grand style qui lui manquait peut-être, et ses vignettes, – on a pu le voir au Salon – se transforment en tableaux d'histoire avec une facilité singulière[35] », tandis que la majorité des critiques relève que « son tableau du *Dante et Virgile*, en dépit de ses dimensions ambitieuses, n'a que la consistance d'une vignette agrandie et étirée outre mesure[36] ». Même verdict sous la plume de Léon Lagrange dans la *Gazette des beaux-arts* : « Ses *Saltimbanques* promettaient un peintre ; le *Dante aux enfers* ne tient qu'à demi ces promesses. Comme peinture, il existe trop peu ; on dirait que l'habitude de dessiner sur bois a gâté la main de M. Doré. L'abus de petits moyens a appauvri son exécution. Autant on le voit hardi et fort quand il s'agit de couvrir de blanc et de noir un carré de buis, autant il s'est trouvé timide en présence d'une grande toile[37]. »

Qui dit grand art, dit prix élevés. Selon Paul Lacroix, sur les conseils de sa mère flattant son amour-propre, le jeune peintre aurait refusé vers 1855 de vendre à des Américains les douze toiles monumentales d'une série intitulée *Paris tel qu'il est* pour cent dix mille francs. Il en aurait demandé cent quarante, et les acheteurs auraient renoncé à ces œuvres apparemment destinées à un panorama ou à un cirque ambulant[38]. L'un des « dangers » des grands formats réside justement dans leur caractère spectaculaire et potentiellement « populaire ». Blanchard Jerrold indique dans sa biographie que son *Dante et Virgile* de 1861 – une évidente tentative d'émulation de l'art

Fig. 14. ***Gustave Doré, palette à la main devant l'Ecce homo,***
1877, photographie extraite de Valmy-Baysse, p. 245.

34. Voir *Doré sur une échelle*, dessin à la plume ornant une lettre, reproduit dans *Gustave Doré*, Londres, Hazlitt, Gooden and Fox, 1983, nº 4, fig. 31.

35. Théophile Gautier, « L'Enfer de Dante Alighieri avec les dessins de Gustave Doré », *Le Moniteur universel*, 30 juillet 1861. Voir également Théophile Gautier, *Abécédaire du Salon de 1861*, Paris, Dentu, 1861, où l'écrivain évoque Michel-Ange (« Quel sens de la réalité, et en même temps quel esprit visionnaire et chimérique ! »).

36. Émile Perrin, « Salon de 1861 », *Revue européenne*, 1861, p. 167.

37. Léon Lagrange, « Salon de 1861 », *Gazette des beaux-arts*, juin 1861, p. 267.

38. Blanche Roosevelt, *op. cit.*, p. 151-154.

d'Eugène Delacroix, son modèle dans la peinture d'histoire, parallèlement à Gustave Courbet, dont il est l'émule dans le genre du paysage et de la peinture de genre de grand format (*Le Tapis vert* en 1867) – décore un music-hall new-yorkais après avoir été présenté dans les shows de la Doré Gallery. Le risque effectif d'une assimilation de l'œuvre au registre panoramique et forain, d'un glissement vers le sensationnel, condamné par le discours esthétique, est perceptible dans la correspondance qu'il entretient avec les responsables de la galerie londonienne, notamment lorsqu'il les incite à adopter les standards des expositions d'art.

Or, le mode de perception et les usages des œuvres, surtout aux États-Unis, n'ont pas été en adéquation avec les vœux de l'artiste. Même si les propriétaires de la Doré Gallery semblent avoir rejeté une offre d'achat émanant du célèbre Barnum[39], l'usage intensif de l'œuvre (surtout biblique) dans l'espace public l'a fait basculer vers le spectaculaire. En 1891, le *New York Times* déclare par exemple que la Doré Gallery est « devenue aussi populaire que le musée de cire de Madame Tussaud[40] ». Au même moment, ces œuvres sont prises comme sujets de projection de lanternes magiques[41], et font même l'objet d'un « Biblical Scenorama » présenté dans un théâtre qui propose des copies en noir et blanc par un dénommé Antoine Berger des œuvres de Doré, « qui, au moyen d'effets mécaniques sont présentées de manière très plaisante. Une conférence descriptive des peintures données par le professeur Dandelo donne au spectateur une idée des méthodes particulières de Doré et des impressions qu'elles devaient susciter[42] ». En 1892 et 1893, les toiles de la Doré Gallery sont également présentées au Carnagie Music Hall, avant de donner lieu à d'autres shows à Chicago, Boston puis Philadelphie.

La popularité de l'art religieux de Doré et sa dimension prédicatrice (il était réputé comme « painter preacher » à Londres du temps de la Doré Gallery) s'inscrivent dans une culture qui va donner naissance à ce que l'on a appelé le cinéma des premiers temps ou cinéma d'attraction[43]. L'histoire détaillée et documentée du potentiel et des usages cinématographiques de l'œuvre de Doré reste à écrire. Mais il y a fort à parier que ses aspects excessifs, populaires et spectaculaires, tant dans le registre de la religion ou du fantastique que dans celui de l'épique médiéval ou de la vision fantasmagorique du Londres victorien, soient les garants de l'actualité, du pouvoir d'attraction de l'œuvre de Doré, et par conséquent de sa découverte et de sa redécouverte à l'aube du XXIe siècle.

Fig. 15. ***Autoportrait à l'échelle,***
manuscrit, autour de 1870, collection particulière

39. Elbert Hubbard, *Little Journeys to the Home of Eminent Painters*, New York, Putnam's Sons, 1899, vol. V, p. 495. Sur la réception de Doré en Amérique, voir Eric Zafran, « A Strange Genius… », *op. cit.*, p. 143-174.

40. « The Doré Gallery from London », *New York Times*, 3 octobre 1892, cité dans Eric Zafran, « A Strange Genius… », *op. cit.*, p. 155.

41. Dan Malan, « Gustave Doré: Magic Lantern Slides », *The New Magic Lantern Journal*, hiver 2011, p. 3-6.

42. « […] copies of whose paintings in black and white […] with the aid of mechanical effects are presented ine very pleasing manner. A descriptive lecture of the paintings as given by Prof. Dandelo, supplying the spectator with the idea of Doré's peculiar method and the impression they were designed to make » (« Biblical Scenorama », *New York Times*, 4 juin 1888, cité dans Eric Zafran, « A Strange Genius… », *op. cit.*, p. 155.

43. André Gaudreault et Tom Gunning, « Le cinéma des premiers temps : un défi à l'histoire du cinéma ? », dans Jacques Aumont, André Gaudreault et Michel Marie (dir.), *Histoire du cinéma. Nouvelles approches*, Paris, Publications de la Sorbonne, 1989, p. 49-63 ; André Gaudreault, *Film and Attraction. From Kinematography to Cinema*, Urbana, University of Illinois Press, 2011.

Fig. 16. ***La Chute des anges rebelles,***
huile sur toile, 1866, musée d'Art moderne et contemporain, Strasbourg.

par Sylvie Carlier

Gustave Doré et l'iconographie religieuse

La mémoire visuelle de Gustave Doré est marquée par l'assimilation des maîtres italiens et nordiques : il « courut tout Paris, non pas en quête de modèles, mais de gravures, et il découvrit une merveilleuse collection de reproductions en taille-douce des dessins de Michel-Ange, de Rembrandt, de Rubens[1] ». Doré avance, dans les années 1850, un programme d'édition des chefs-d'œuvre de la littérature[2].

Tout en répondant aux commandes d'illustration d'ouvrages tels que *Les Œuvres de François Rabelais contenant la vie de Gargantua et celle de Pantagruel* (1854), *Le Juif errant* (1856), *L'Enfer* de Dante (1861), *Don Quichotte* (1863), *Paradise Lost* de John Milton (1866, publié par Cassel and Co., Londres), le dessinateur développe un œuvre dessiné et pictural qu'il présente au Salon à partir de 1850. Son œuvre pictural, inspiré par le christianisme, se déploie à la suite de l'illustration de *La Sainte Bible*, notamment avec l'engouement rencontré auprès du public britannique.

Doré présente en France une de ses premières œuvres religieuses, réplique d'une gravure intitulée *Épisode du déluge*, au Salon de 1863. Au Salon de 1865, il expose *L'Ange et Tobie* acquis par le musée du Luxembourg[3] (musée de Colmar). Célébré pour ses illustrations, l'artiste connaît en France une fortune critique mitigée car on lui reproche d'utiliser ses œuvres graphiques pour agrandir ses toiles. Depuis 1865, Doré loue un ancien gymnase transformé en atelier au 3, rue Bayard[4] et peut ainsi réaliser de grands formats comme *Le Tapis vert* ou *La Fille de Jephté.* Il partage sa journée entre les dessins pour l'illustration et, l'après-midi, la peinture consacrée à la réalisation de toiles immenses. Gustave Doré confie à Blanche Roosevelt son « sentiment d'être né peintre[5] ». De nombreuses études et déclinaisons techniques (lithographie, plume, lavis, eau-forte) sur certains sujets accompagnent des toiles ambitieuses tel *Le Néophyte*, exposé au Salon de 1868. Une première version du *Néophyte* est née sous forme lithographique pour la parution de *Spiridion* de George Sand[6] en 1855. Frère Angel parmi trois autres moines assoupis et repus, incarne alors la question de la foi et du doute. Il reprend le sujet dans une toile de grande dimension, *Le Néophyte* **(fig. 1** et **cat. 43)** présentée à Paris puis à Londres[7] à la Doré Gallery.

Sollicité en 1864-1865, il donne six gravures pour *La Bible populaire*[8] de l'abbé Drioux[9] puis réalise, pour l'éditeur Mame de Tours[10], deux cent vingt-huit dessins au rythme d'un dessin pour quatre pages. Le texte est séparé en colonnes par motifs centraux détaillés (fleurs, blé, vigne, carquois, flèches, Tables de la Loi, serpents, dra-

1. Roosevelt 1887, édition française p. 96.

2. *Ibid.*, p. 187-190 : Gustave Doré, dans ses notes, établit une liste des œuvres littéraires auxquelles il veut se consacrer.

3. Geneviève Lacambre, *Le Musée du Luxembourg en 1874*, Paris, Réunion des musées nationaux, 1974, p. 66, repr. p. 67.

4. Voir Anne Roquebert, « Biographie de Gustave Doré », dans *L'Enfer Doré*, Lyon, Fage, 2004, p. 12-25.

5. Roosevelt 1887, p. 402.

6. Voir *George Sand. Une nature d'artiste*, Paris, 2004, Musée de la Vie romantique. *Frère Angel parmi trois autres moines assoupis* fut publié en 1873 dans *Souvenirs d'artistes*, planche 467, 1873.

7. *Le Néophyte*, huile sur toile, 147,7 x 273 cm, 1868, Chrysler Museum, Norfolk (Virginie).

8. *La Bible populaire* est illustrée de plus de quatre cents dessins ; deux des quatre dessins de Gustave Doré ont déjà été publiés dans le *Journal pour tous* et deux sont inédits : *Vision d'Ezechiel*, vol. 1, p. 442, et *La Vallée des ossements*, vol. 2, p. 12, Paris, Ch. Lahure, grand in-octavo.

9. Claude Savart, *Le Monde contemporain et la Bible*, Paris, Beauchesne, 1985, p. 236-239.

10. *La Sainte Bible selon la Vulgate*. Traduction nouvelle, avec les dessins de Gustave Doré. Tours, Alfred Mame et fils, 1866, 2 vol. in-folio. Avec deux cent vingt-huit dessins dont cent dix-huit pour l'Ancien Testament et cent dix pour le Nouveau. Les graveurs sur bois sont Pisan, Trichon, Monvoisin, Gusman, Pannemaker, Doms, Bertrand, Maurand, Laplante, Ligny, Quartley, Piaud, Guillaume, Dumont, Thomas, Etting, Hotelin, Verdeil, Linton, Hurel, Gonnard, Gebel, Hildibrand, Gauchard, Joliet, Huyot, Barbant, Brunier, Charles, Rodolphe, Fournier, Demarle, Jonnard, Chapon, Regnier et Daraus.

gons). Alors que les gravures proposent de l'Ancien Testament des visions agitées, celles consacrées au Nouveau Testament sont plus paisibles et moins démonstratives. Traduite en plusieurs langues, *La Sainte Bible* illustrée par Gustave Doré connaît un extraordinaire succès[11], en particulier en Angleterre et aux États-Unis. Lors d'un premier voyage outre-Manche, en 1868, Doré peut mesurer pleinement la notoriété que lui vaut l'édition anglaise de *La Sainte Bible*, publiée l'année précédente.

L'influence de Rembrandt et de John Martin

Doré incarne le romantisme Second Empire et se définit, selon Henri Focillon, par « l'humour dans le fantastique [...], le trop plein de vieux songes d'hier qui remontent précipitamment et tumultueusement à la lumière[12] ». Les écrits de Jean Adhémar et de Pierre Georgel[13] soulignent ce second romantisme marqué par le mythe de l'artiste visionnaire et prophète développé au cours du XIXe siècle avec Victor Hugo et Gérard de Nerval, et plus encore en Angleterre à travers des artistes comme Francis Danby et John Martin. Gustave Doré s'inscrit dans cette tradition littéraire et plastique du romantisme, née avec la relecture de Shakespeare, Milton et Dante et les interprétations plastiques de Rembrandt, Goya et John Martin. Dans l'ouvrage publié par le Dahesh Museum (2006), Robert Rosenblum l'assimile d'ailleurs aux visions fantastiques de la Bible dues à John Martin[14]. Ce dernier conçoit entre 1816 et 1820 des tableaux spectaculaires mettant en scène des sujets bibliques dans de vastes espaces architecturaux et des ciels nocturnes tourmentés, telle *La Chute de Babylone* (1819). Le peintre anglais pratique assidûment la manière noire, entre 1824 et 1837, après la commande qui lui fut passée pour illustrer *Le Paradis perdu*, le poème épique de John Milton. Il se lance dans la production indépendante de mezzotinto vendus dans le monde entier, diffusant ainsi largement son œuvre. John Martin s'inspire aussi des grands formats de Benjamin West caractérisés par de complexes compositions architecturales et une nature agitée, miroir des souffrances des hommes. Ses épisodes bibliques ou mythologiques[15], dont *Le Déluge* présenté au Salon de 1835, lui assurent un succès populaire en France[16] sous la Restauration et la monarchie de Juillet. Cette peinture théâtrale à grands effets comme *Le Jugement dernier*[17] marque très probablement Gustave Doré.

Et c'est précisément en Angleterre que Doré voit enfin son talent pictural reconnu[18]. Un an après la commande des éditeurs Cassell et Moxon sur les folios de *La Divine Comédie,* M. Arymer s'engage à présenter ses toiles à Londres à la fin de l'année 1867.

La « réception » anglaise

Après la réception peu enthousiaste de ses toiles au Salon, Doré présente en 1867-1868[19] à Londres, à l'Egyptian Hall, Picadilly-German Gallery (catalogue de Tom Taylor), son grand tableau *Dante et Virgile*, avec deux autres œuvres : *Le Tapis vert ou Vie à Baden-Baden* et *La Sœur de Jephta*. Il répond ensuite à l'invitation de deux Londoniens, James Liddle Fairless et George Lord Beeforth, et expose pendant cinq mois sa peinture religieuse monumentale dans la German Gallery, rebaptisée Doré Gallery. Par contrat, Doré s'engage à peindre en quatre mois, pour 800 livres, une immense peinture représentant *La Chute du paganisme* (*Fall of Paganism*), aujourd'hui connue

11. Philippe Burty, « La Sainte Bible éditée par la maison Mame de Tours », *Gazette des beaux-arts*, mars 1866, p. 273.

12. Henri Focillon, *Histoire de la peinture française*, Paris, rééd. 1991, p. 82.

13. Pierre Georgel, « Le Romantisme des années 1860. Correspondance Victor Hugo-Philippe Burty », *Revue de l'art*, 1973, n° 20, p. 8-64.

14. Robert Rosenblum, « Resurrecting Gustave Doré », dans Zafran 2007, p. 29.

15. Dustin Wees, *Darkness Visible: The Prints of John Martin*, Sterling and Francine Clark Art Institute, Williamstown (Massachusetts), 1986.

16. Jean Seznec, *John Martin en France*, Londres, Faber & Faber, 1964, n. 3 p. 27 et p. 48. Populaire en France, John Martin reçoit une médaille d'or en 1825 et en 1835, et vend une série de gravures tirées de ses tableaux.

17. *The Last Judgement*, vers 1849-1853, huile sur toile, 196,8 x 325,8 cm. Londres, Tate Britain, inv. To 1927.

18. Dan Malan, « Doré the painter – The Doré Gallery (1868-1883) », dans *Gustave Doré: Adrift on Dreams of Splendor. A Comprehensive Biography & Bibliography*, Saint-Louis (Missouri), Malan Classical Enterprises, 1995, p. 148-177.

19. *Atheneum* publie l'annonce suivante : « Gustave Doré's Great Paintings are now on exhibition at the Egyptian Hall, Picadilly. Open daily from eleven A.M. till six P-M - Admission, 1 s. Season Tickets, available for three Months, 5 s., The Hall is lighted up day and night », n° 2001, 25 janvier 1868, p. 133.

Fig. 1. ***Le Néophyte,***
huile sur toile, 1868,
Chrysler Museum of Art, Norfolk (Virginie), inv. 71.2061.

sous le titre *Le Triomphe du christianisme sur le paganisme* (huile sur toile, 1867-1868, Art Gallery of Hamilton, Ontario). En 1868, la critique anglaise salue la peinture comme le chef-d'œuvre de l'artiste[20] : « Trente-quatre tableaux, de styles très différents les uns des autres, couvrent les murs de la German Gallery à Bond Street, tous peints, nous dit-on, en peu d'années. » Le critique poursuit en rapprochant son œuvre du *Jugement dernier* de Michel-Ange : « Au premier regard, le tableau fait penser au *Jugement dernier* de Michel-Ange. [...] Mais il faut respecter cet artiste fécond et remarquable qui s'est exposé au verdict de l'opinion publique, d'une grande maturité quant au nombre d'œuvres produites, et dont la jeunesse s'exprime et ouvre de nouvelles voies. »
Ouverte en 1868 au 168 Bond Street, la Doré Gallery déménage en 1869 au 35 de la même rue[21]. Les catalogues de la Doré Gallery établis par Conder nous décrivent ces œuvres, qui sont essentiellement des grands formats célébrant le génie du christianisme. Entre 1869 et 1870, Doré réalise successivement *Le Christ sortant du tom-*

20. « The Triumph of Christianity », *The Builder, an illustrated weekly magazine*, Londres, 4 juillet 1868, p. 483-484. « Thirty-four paintings, in very different styles of art, covers the walls of the German Gallery in Bond-street, all produced, we are told, within a few years. The first glance recalls to the mind the *Last Judgment* of Michelangelo. [...] But courtesy is due to the industrious and remarkable artist who has this cast himself on the verdict of our public opinion, a courtesy which, whilst it does not exclude an honest criticism, must gladly bow to the great merits of a man who, old in the number of his production, is young in years, and young in the power of faculty of improvement. »

21. Quand la Doré Gallery ferme ses portes en 1892, les peintures de Doré voyagent aux États-Unis lors d'une exposition itinérante entre 1892 et 1898, passant de New York à Boston, Chicago, Philadelphie, où les foules se pressent pour admirer les immenses toiles. Puis celles-ci deviennent introuvables. En fait, avant d'être dispersées lors d'une vente aux enchères en 1947, elles sont restées dans un entrepôt de Manhattan durant quarante-neuf ans.

beau et *La Fuite en Égypte*. Au cours de cette période, il côtoie le révérend Frederick Harford, chanoine à Westminster Abbey avec lequel il entretient des conversations théologiques qui lui permettent de répondre aux commandes de Fairless et Beeforth. Ainsi le sujet du Christ au prétoire lui fut suggéré par le religieux qui s'étonnait que cet épisode du Nouveau Testament n'ait encore jamais été représenté dans la peinture.

La figure du Christ

Catholique, Gustave Doré semble chercher l'apaisement dans la foi chrétienne et confie au chanoine Harford : « Toute ma religion est contenue dans le treizième chapitre de saint Paul aux Corinthiens : "Au reste, mes frères, soyez joyeux, perfectionnez-vous, consolez-vous, ayez un même sentiment, vivez en paix et le Dieu d'amour et de Paix sera avec vous"[22]. » Doré semble avoir été sensible au retentissement que connut *La Vie de Jésus* (1863) d'Ernest Renan, situant Jésus dans son cadre historique. Doré, lui, s'intéresse plus à la personnalité de l'homme Jésus, seul face à son destin. Ses grands formats représentant le fils de Dieu souffrant traduisent la fascination exercée par un Christ blessé par les moqueries.

Pour répondre à la demande croissante du public, d'autres créations de grand format, toujours inspirées par des sujets bibliques, sont produites régulièrement et accompagnées de versions réduites et déclinées en estampes (prévues à la vente) : *Le Christ sortant du prétoire* (1868), *Les Ténèbres* (1873), *Le Rêve de l'épouse de Pilate*, *Claudia Procula* (1874), *Les Martyrs chrétiens* (1874), *La Maison de Caïphe* (1875), *L'Entrée du Christ à Jérusalem* (1876), *Ecce homo* (1877), *La Condamnation de Jésus* (1877), *Moïse devant le Pharaon* (1878), *L'Ascension* (1879), *Le Serpent d'airain*, *Le Rêve du moine*, *Les Soldats de la Croix* et *La Vallée de larmes* (1883). Les sujets religieux de Gustave Doré répondent alors au goût de la société victorienne. Au cours de ses vingt-quatre années d'existence, la Doré Gallery et sa vingtaine de toiles reçut environ deux millions et demi de visiteurs.

Ses images peintes rappellent souvent les gravures qui ont illustré *La Sainte Bible*, nourries par la vision du Christ plongé dans une grande solitude. *Le Rêve de l'épouse de Pilate*, *Claudia Procula* (fig. 2) existe en deux versions où Doré matérialise la vision de Procula (Matthieu, XXVII, 19). Cette dernière, les yeux fermés, sort de sa chambre alors qu'un ange lui murmure ce que le public voit : le Christ entouré de saints, de martyrs, d'hommes du clergé. La présence de trois lumières s'articule autour de la chambre à coucher, de l'aura émanant du Christ et d'une croix lumineuse symbolisant l'espoir que revêt le christianisme.

Son *Ecce homo* (fig. 3) reste également proche des gravures de *La Sainte Bible* de 1866 par le style graphique et la description précise de l'architecture et des vêtements. L'échelle monumentale des illustrations de Doré demeure une constante : composition, sens d'attitudes variées, subtilité dans l'usage des valeurs. L'opposition entre la foule agitée et le calme du Christ permet d'insister sur la tragique solitude du Sauveur, étranglé entre l'orgueilleuse raideur des Lévites et des Pharisiens et la volonté d'ordre social des Romains. Dans *L'Ascension* (1879, huile sur toile, 600 x 400 cm, Paris, musée du Petit Palais), Doré choisit de représenter l'allégresse des apôtres devant la scène de

22. Jerrold 1891, p. 273-274 ; Roosevelt 1886, p. 306.

Fig. 2 ***Le Rêve de l'épouse de Pilate, Claudia Procula,***
huile sur toile, 1874, Art Gallery of Hamilton, Ontario.

Fig. 3 ***Ecce homo,***
huile sur toile, 1877,
musée du Petit Palais, Paris.

Jésus emporté au ciel (Luc, XXIV, 50-53). Alors que la gravure de *La Sainte Bible* décrit le désert palestinien, au milieu des apôtres, la version peinte de Doré représente le monde céleste : le Christ, adoré par les anges, rejoint le Père alors que les disciples et la terre d'Israël restent visibles dans le lointain. La composition ascendante entraîne une sorte de tourbillon angélique ouvrant au Christ les portes du ciel. Dans sa dernière toile, *La Vallée des larmes* (fig. 4), Doré exprime simultanément le désespoir et l'espérance avec la lumière qui triomphe des ténèbres (Matthieu, XI, 28-30).

L'insuccès constant de ses peintures et de ses sculptures auprès de la critique française le démoralise. Comme le souligne Emmanuelle Amiot-Saulnier dans sa thèse, il est également peu remarqué par la presse religieuse française : « Son interprétation de la divinité du Christ ne suscita aucun scandale. Son iconographie est des plus orthodoxes et, si son Christ est bien le visage de l'homme souffrant, la lumière qui le revêt assure de sa divinité. » L'historienne de l'art avance une hypothèse : « Il y avait peut-être trop de Rembrandt en lui. Comment ne pas penser en effet aux *Trois Croix* de ce dernier devant *Le Calvaire* de 1877. [...] *La Maison de Caïphe*, de deux ans antérieure, est toute hollandaise elle aussi. Ces conspirateurs dans leurs costumes d'apparat

Fig. 4 ***La Vallée des larmes,***
huile sur toile, 1883, musée du Petit Palais, Paris.

sont revêtus d'une humanité de chair périssable, d'une pénombre dans laquelle peut se révéler la lumière du prédicateur au loin, si petit sous la perspective de l'arche. Le paysage même avoue un petit air hollandais[23]. »

Entre les tourments du Christ et le Salut, l'image du Sauveur hante l'imaginaire de Doré. Eric Zafran[24] s'est intéressé aux dessins représentant le Christ souffrant aujourd'hui conservés aux États-Unis (Boston, Cleveland) ou à Strasbourg (musée d'Art moderne et contemporain). Dans *Le Massacre des innocents* (fig. 5), Doré démontre une vitalité dans les compositions des corps qui prend sa source dans le dessin initial paru dans *La Sainte Bible*.

23. Emmanuelle Amiot-Saulnier, *La Peinture religieuse en France. 1873-1879*, Paris, musée d'Orsay, 2006, p. 135.

24. Eric Zafran, « Religious subjects – Christ the Savior: Torment and salvation », dans Zafran 2007, p. 82-83.

Fig. 5 ***Le Massacre des innocents,***
encre, crayon et rehauts de blanc sur papier, 1869, Dahesh Museum, New York.

En 1872, Doré aborde la technique de l'eau-forte et s'essaie à différentes versions du *Néophyte*. Il termine son immense toile du *Christ quittant le prétoire* **(fig. 6)** et l'envoie à la Doré Gallery. Ce sera l'œuvre phare de la longue exposition itinérante à travers les États-Unis, de 1892 à 1898. Dans cette composition se tiennent en arrière-plan Pilate et Hérode qui n'ont pas réussi à sauver Jésus, alors que Caïphe, Annas et Alexandre, sur la droite, en haut des marches, se réjouissent de sa condamnation. Parmi des soldats romains, on distingue Marie Madeleine qui s'effondre aux pieds de la Vierge, traditionnellement habillée de bleu et de blanc. Placé parfaitement au centre du tableau, le Christ vêtu de blanc, ceint de la couronne d'épines, descend majestueusement l'escalier, irra-

Fig. 6 ***Le Christ quittant le prétoire,***
huile sur toile, 1872, musée d'Art moderne et contemporain, Strasbourg.

diant d'une lumière surnaturelle l'ensemble de la scène. L'œuvre conservée au musée d'Art moderne et contemporain de Strasbourg est de dimensions plus importantes (622 x 885 cm) que ses deux répliques du musée des Beaux-Arts de Nantes et de la Bob Jones University de Greenville, respectivement de 475 x 717 cm et 148 x 223 cm.

L'interprétation en vitrail de l'œuvre de Doré

Doré semble avoir aussi réalisé lui-même des dessins pour des projets de vitraux comme le laisse penser son *Charlemagne* **(fig. 7)**. Il faut également souligner l'impact exercé par ses œuvres sur certaines réalisations anglo-saxonnes, dont le vitrail dû à l'atelier Tiffany, *Christ leaving the Praetorium*[25] **(fig. 8)** d'après *Le Christ quittant le prétoire*[26]. Sur la base des indications de Tiffany, le centre du vitrail fut reproduit en six occasions pour d'autres églises. Celui de 1901 de l'église St David, chapelle Dewi

25. En 1950, un incendie l'endommagea. En 2006 des fonds furent réunis pour le restaurer avec son verre et ses images de colombe.

26. Donné par Mrs. E.H. Roadhead, fille de Jackson Kemper, premier évêque episcopal du Wisconsin, à qui le vitrail est dédié.

27. Thomas Lloyd, Julian Orbach et Robert Scourfield, *The Building of Wales: Carmarthenshire and Ceredigion*, Londres, Yale University Press, 2006, p. 443.

28. René Delorme, *Gustave Doré, peintre, sculpteur, dessinateur et graveur*, Paris, Librairie d'Art, 1879, p. 29.

29. Jean Valmy-Baysse, *Gustave Doré*, Paris, Marcel Seheur, 1930, p. 313.

30. Samuel Clapp, « Voyage au pays des mythes », dans *Gustave Doré, 1832-1883*, Strasbourg, 1983, p. 31.

31. Voir Nadine Lehni, « Gustave Doré peintre », dans *Gustave Doré, 1832-1883*, Strasbourg, 1983, p. 51-57.

Fig. 8 ***Christ leaving the Praetorium, vitrail de l'église épiscopale St Paul de Milwaukee (Wisconsin),***
1888, Dahesh Museum, New York.

Fig. 9 ***Mort du Christ,***
gravure selon la Vulgate par H. Pisan,
1866, musée du monastère royal de Brou, Bourg-en-Bresse.

Fig. 7 ***Charlemagne,***
crayon sur papier, collection particulière.

(ouest), de Ceredigion, au pays de Galles[27], correspond au même principe. Plébiscité en Angleterre, Doré fut collectionné par son ami Richard Glynn Vivian, riche héritier et amateur d'art. L'œuvre graphique et peint a inspiré ainsi la réalisation de trois vitraux montrant le Christ descendant les marches du prétoire entouré par une foule, réalisés probablement par Jones et Willis de Birmingham.

René Delorme, le premier biographe du peintre, observait en 1879 : « Gustave Doré, obéissant à la plus haute inspiration, s'est fait le peintre du drame chrétien[28]. » Valmy-Baysse précise : « Alors qu'il employait le meilleur de son talent à des besognes alimentaires, on le surprenait, de temps en temps, à jeter sur le papier, à grands coups, des visages de Christ. Ces visages, nous les retrouvons bientôt baignés de la lumière des seconds plans, dans *Le Juif errant*. [...] il a tiré de son propre fonds, une image de Jésus pleine à la fois d'humanité et de sérénité[29] » **(fig. 9)**. Par sa connaissance de l'œuvre de Gustave Doré et sa lecture psychanalytique, Samuel Clapp considère que « des figures historiques telles que le Christ, Dante et Shakespeare furent pour Doré les "hérauts" ou "guides" qu'il cherchait, et exercèrent sur lui une immense fascination[30] ».

Gustave Doré demeure avant tout connu pour ses illustrations de *La Sainte Bible* qui, largement diffusées, ont marqué les imaginations, de la création d'Ève au Déluge. Le Nouveau Testament impose l'image d'un Christ au charme apaisant et confronté au tragique de son destin. Le succès outre-Manche de *La Sainte Bible* et le mépris rencontré en France ont conduit le peintre vers la Grande-Bretagne où ses grandes toiles religieuses exposées à la Doré Gallery allaient trouver un public réceptif. Son œuvre pictural[31] reste méconnu en France, même si certains tableaux sont localisables à Nantes, Paris (Petit Palais) et Strasbourg.

par Magali Briat-Philippe

Gustave Doré, témoin de son siècle

Doré doit sa célébrité à ses dessins, mais il rechercha pourtant toute sa vie une reconnaissance en tant que peintre. Travailleur infatigable, il voulut explorer tous les arts, toutes les techniques et tous les sujets. Il fut le dernier des romantiques, par l'esprit et par l'abondance de sa production. Toutefois Doré a également, dès ses débuts, décrit ses contemporains, fasciné par les hautes sphères et sensible à la misère sociale. Il a rapporté ses impressions de voyages et représenté des événements historiques de son temps, de manière allégorique et naturaliste à la fois.

Le chantre du réalisme en peinture, Gustave Courbet admirait Doré[1]. Il avait visité son atelier et sans doute y avait-il vu les peintures du *Paris tel qu'il est*, qui choquaient les contemporains par leur violent réalisme social.

Pourtant, Castagnary et Zola, tout en reconnaissant en Doré un illustrateur talentueux, condamnaient son « incapacité picturale » et son romantisme. Zola lui reprochait de ne pas travailler d'après le modèle vivant et de peindre « en plein rêve »[2]. Sa mémoire visuelle et sa facilité à dessiner étaient de même considérées comme des faiblesses[3]. Il ne travailla jamais d'après modèle, et lorsqu'il s'y essaya pour répondre aux attentes des académiques, ce fut un échec[4]. Pourtant, à celui qui lui conseille de travailler d'après les grands peintres, il répond qu'il connaît l'anatomie d'instinct et prend ses vrais modèles à la piscine qu'il fréquente[5]…

Doré voulut en effet être un témoin fidèle de son époque, que ses sujets fussent fictifs ou réels. Ce désir de réalisme, transcendé par son imagination fertile, a souvent donné lieu à une description sociale.

Le réalisme dans les sujets imaginaires

Dans sa peinture, au contraire de ses illustrations, Doré a assez peu recouru à un pur imaginaire romantique. C'est surtout le cas de quelques tableaux de ses débuts **(cat. 63, 64 et 65)**, dans lesquels il s'inspire d'un Moyen Âge fantasmé, avec ses fées, ses chimères, son univers chevaleresque et son architecture gothique.

À l'inverse, de manière étonnante, il opte parfois dans ses illustrations de contes ou de fables pour un ton assez réaliste, en représentant par exemple la Cigale et la Fourmi sous la forme d'une gitane, une guitare à la main, et d'une mère de famille alsacienne[6]. De même, les personnages de contes qui ne sont pas décrits comme pauvres par Perrault sont représentés par Gustave Doré comme des miséreux : c'est le cas de la

1. Pierre Courthion et Pierre Caillet, *Courbet raconté par lui-même et ses amis*, Genève, 1950, II, p. 114, cité par Kaenel 1985, p. 47.
2. Ehrard 1972, p. 185-192.
3. Bayard 1898, p. 167-173.
4. Roosevelt 1887, p. 519-522.
5. *Ibid.*, p. 94-96.
6. www.bm-lyon.fr/decouvrir/collections/fables_images.php

Fig. 1 ***Le Petit Poisson et le Pêcheur,***
huile sur carton, vers 1867,
musée d'Évreux, inv. 7955.

marraine de *Cendrillon* ou de la fée des *Fées*, entre autres. Doré écarte le plus possible les représentations de l'aristocratie, exprimant sa sympathie envers le petit peuple[7].

Doré, qui croyait aux images mythiques de notre civilisation, les rendait tangibles et réelles. Le critique de l'*Illustrated London* était ainsi choqué du caractère morbide et horrible de *Dante et Virgile dans le neuvième cercle de l'enfer* **(cat. 74)**, de détails comme le sang tombant par gouttes[8] : l'enfer n'était certes pas un sujet réaliste, mais ces détails le rendaient réel et crédible physiquement. Sur un sujet tel que les enfants pauvres, une telle ambiguïté n'existe évidemment pas, le style se devant dans ce cas d'être aussi réaliste que le thème traité[9].

Mais intéressons-nous aux sujets relevant par leur nature même d'une description de la réalité, oscillant entre une sorte d'ethnographie romantique et pittoresque d'une part, et de réalisme social d'autre part.

Enfance en Alsace et en Bresse

Doré se nourrissait de ce qu'il avait sous les yeux et reportait dans son art ce qu'il observait autour de lui. Son premier tableau, réalisé lors d'un séjour à Dieppe en 1848, à l'âge de seize ans, représentait « un pêcheur amarrant sa barque avant la tempête[10] ». Une huile sur carton, intitulée *Le Petit Poisson et le Pêcheur* **(fig. 1)**, variante maladroite de la gravure pour les *Fables* de La Fontaine, permet peut-être de se faire une idée de cette peinture de jeunesse non localisée.

L'artiste a abondamment représenté sa région natale, l'Alsace, généralement de manière idéalisée. En 1856-1857 il évoque la vie alsacienne dans quatre lithographies du *Musée français-anglais* (*Noël en Alsace*, *Messe de minuit*, *Les Dénicheurs d'aigles* et *Les Schlitteurs des environs de Barr*[11]). Après l'annexion de l'Alsace par l'Allemagne en 1870, ses représentations se multiplient également dans la peinture. Il personnifie l'Alsace et la Lorraine dans deux tableaux de 1869[12] (voir aussi **p. 51** et **cat. 62**).
Doré a de même décrit les Bressans, mais contrairement aux Alsaciens, le plus souvent en les caricaturant. Si certains dessins ne sont actuellement pas localisés, les *Vétérans de la Bresse* ou la *Paysanne de la Bresse*[13], d'autres sont conservés ou connus à travers des estampes **(cat. 8, 9, 10, 11)**. Toutefois, si Doré montre un talent précoce de dessinateur et d'observateur, on ne peut pas considérer ces dessins humoristiques comme des reflets fidèles de la réalité. D'ailleurs, dans *La Vogue* et *L'Inauguration de la statue de Bichat*, il utilise l'anthropomorphisme cher à Grandville.

Paris

Une fois installé à Paris, Doré observe avec attention la société de son temps. Il participe au *Journal pour rire,* relatant les fêtes, les spectacles, les faits marquants de l'actualité, etc., avec ironie. Dès 1851, Gustave Doré croque les habitants de la capitale, avec *Ces Chinois de Parisiens* et *Trois Artistes mécontents et incompris*[14].

Dans l'album de lithographies *La Ménagerie parisienne* (1854), la vie parisienne est décrite sous toutes ses facettes, sur un ton satirique. L'anthropomorphisme traditionnel y est inversé : c'est la légende de l'image qui « animalise » les humains représentés, par exemple sur la planche 16, où des lavandières au lavoir sont qualifiées de « pies »[15].

7. « De Doré à Perrault », conférence de Tony Gheeraert, université de Rouen, 3 janvier 2007. www.lettres.ac-versailles.fr/spip.php?article782 ; http://gallica.bnf.fr/ark:/12148/btv1b2200191h/
8. « Fine Arts: Paintings by Doré », *Illustrated London News*, 4 janvier 1868, 12.
9. Clapp 1983, p. 22-25.
10. Roosevelt 1887, p. 97, selon Paul Lacroix qui avait vu ce tableau. Jerrold évoque, lui, comme première peinture une *Tempête à Boulogne-sur-Mer*, en 1849, mais contrairement à Lacroix, il ne l'avait pas vue lors de sa création et fait donc probablement une confusion entre les deux.
11. Voir Renonciat 1983, p. 97.
12. Collection of JP Morgan-Chase, Houston, et musée d'Art moderne et contemporain, Strasbourg, voir reproductions dans Zafran 2002, p. 115.
13. Duplessis 1885, n° 128 et 129.
14. Musée du monastère royal de Brou, inv. 965.1.
15. *Idem*, inv. 954.16.

En 1860, Doré illustre *Le Nouveau Paris* et *Histoire des environs du Nouveau Paris* d'Émile de Labédollière[16], qui fait état des transformations de la capitale sous le préfet Haussmann. Les gravures y sont plus anecdotiques, plus humoristiques et les compositions de *Paris* sont moins fouillées que celles de *Londres*.

Mais les deux ouvrages ont néanmoins beaucoup de points communs, déclinant les activités du peuple comme celles des classes sociales aisées. De Paris, Doré nous donne à voir les financiers de la Bourse, les marchands de journaux de la rue Montmartre, l'omnibus de la Bastille, les lecteurs de la bibliothèque, les ouvriers des Gobelins, les écuyères de l'hippodrome d'Auteuil, le tour de l'hospice des Enfants-Trouvés, les folles de la Salpêtrière, les petits rentiers des Batignolles, etc. **(fig. 2)**.

Doré décrit le monde artistique, ainsi dans *Les Différents Publics de Paris*, en 1854[17], ou encore dans *L'Entrée du Palais de l'Exposition le 31 mars, dernier jour de délai accordé aux artistes*, dans *Le Monde illustré* (t. VIII, 1861)[18]. Lui-même s'était sans doute mêlé à la cohue des artistes se pressant avec leur tableau…

Ces dessins et gravures sont moins sentimentaux que ses grandes peintures, auxquelles il ajoute généralement une forte connotation tragique. En 1854, il développe une vision noire et réaliste de la capitale dans sa série de douze toiles monumentales, *Paris tel qu'il est*. Il déclare à Paul Lacroix : « Je vais peindre une série de tableaux représentant les vilenies de Paris : vous savez, les vieilles rues, les misérables, les proscrits, et tant d'autres sujets du réalisme que j'ai médités ces derniers temps. » Lacroix est choqué du résultat : « Chaque tableau était plus effrayant que le précédent ; ils soulevaient le cœur à force de réalisme », de même que Théophile Gautier : « Quelle salle, quelle galerie au monde acceptera d'aussi révoltantes productions ? Elles sont trop indécentes pour les exposer ; trop grandes, trop réelles pour tomber dans l'oubli. Qu'en adviendra-t-il ? Elles puent la misère des recoins les plus vils et les plus infâmes de Paris… »[19]. L'achat par des collectionneurs américains ne se concrétisa pas et il semble que Doré, éreinté par la critique, ait détruit ce grand cycle peint.

En 1853, il expose au Salon *Les Deux Mères*, dit aussi *L'Enfant rose, l'Enfant chétif*. Il peint en 1854 dans cette même veine sociale une *Famille de saltimbanques*, disparue en même temps que la série du *Paris tel qu'il est*[20]. Vingt ans plus tard, après avoir parcouru les bas-fonds londoniens et connu Paris assiégé, Doré cherche à ressusciter sa première toile[21]. Sur ce tableau de 1874 **(fig. 2)**, une mère, habillée en gitane, tient son enfant blessé contre son cœur, après avoir tiré les cartes du destin. Le père, au second plan, exprime, par son attitude, son regard, une tristesse résignée. Les deux chiens s'associent à la peine de leurs maîtres. La chouette qui fixe le spectateur du tableau annonce l'issue fatale du drame. La mère est une figure à la fois mariale (Vierge à l'Enfant et Vierge de pitié) et isiaque[22]. Contrairement à la première version de 1854 (connue par une lithographie du *Musée français-anglais* de 1859), la version de 1874 est plus dramatique, l'enfant étant blessé à mort. Entre 1854 et 1874, en effet, le misérabilisme réaliste en peinture est devenu assez courant, en particulier sous l'influence de Millet, Daumier et Courbet[23].

16. *Idem*, inv. 981.43 et 981.44.

17. *Idem*, inv. 981.66.

18. Musée d'Art moderne et contemporain de Strasbourg, inv. 55.005.0.104 ; XXXII 87. La gravure 55.005.103 représente *L'Entrée des artistes le jour de l'ouverture du Salon*.

19. Roosevelt 1887, p. 149-151.

20. *Ibid.*, p. 155 et 160.

21. Cat. expo Strasbourg 1983, nº 13.

22. Cussinet 2005, p. 324-325.

23. Vera Lewijse, *La Vie du XIXe siècle vue par la peinture*, partie II : *Les Influences politiques, dans le monde et en France*, décembre 2005 (www.art-memoires.com/4lmqtro/lm5860/59vieartpolitique11.htm).

Fig. 2 ***Les Saltimbanques,***
huile sur toile, 1874, musée d'art Roger-Quilliot, Clermont-Ferrand, inv. 2714.

Malgré sa force dramatique, cette peinture, intitulée alors *La Victime*, passe inaperçue au Salon de 1877. Elle prend le titre de *L'Enfant blessé* lors de sa vente en 1885, puis *Les Saltimbanques* en 1914[24].

L'ambivalence entre la joie et l'univers coloré du spectacle d'une part, et la pauvre vie de ses acteurs d'autre part, a inspiré les artistes. Baudelaire en avait fait un beau poème en prose en 1861, « Le vieux saltimbanque ». Le thème sera repris par le peintre Fernand Pelez, qui à partir de 1890 devient le chantre de la misère sur de grandes toiles. Picasso lui-même traitera ce sujet, devenu un poncif.

Lemercier de Neuville cite deux autres tableaux qui, en 1861, lui avaient fait « une vive impression » dans l'atelier de Doré : dans l'un, une petite fille retient le bras du croque-mort qui vient enlever le corps de sa mère. L'autre représente « une vieille mendiante assise à la porte d'une église, deux petits enfants roses près d'elle ». Ces peintures ne sont malheureusement plus localisées[25].

Fig. 3 ***Un Anglais à Mabille,***
lithographie, 1861, *Galerie pour rire*, n° 34,
The Metropolitan Museum of Art, New York, inv. 66.628.13.

Londres

En 1861, avant de mettre les pieds en Angleterre, Doré tournait en ridicule ses habitants, par exemple dans *Un Anglais à Mabille*, décliné en gravure et peinture **(fig. 3)**.

Mais en 1869, un an après l'ouverture de la Doré Gallery à Londres, Blanchard Jerrold, correspondant en France du journal de Dickens, *The Daily News*, que Doré avait rencontré lors la visite de la reine Victoria à Boulogne, fait découvrir la capitale anglaise à son ami. Ce « pèlerinage » (*pilgrimage*) donne naissance au livre *London, a pilgrimage*, qui sort en Angleterre en 1872[26], puis est adapté en français par Louis Enault en 1876[27]. Il donne à voir de manière criante les inégalités sociales : Doré dessine les opéras, les garden-parties, mais aussi les prisons, les sans domicile fixe dormant sur ou sous les ponts, les refuges **(cat. 49 et 50)**, les marins du port, les ouvriers des brasseries ou des aciéries... Accompagnés par un policier, Doré et Jerrold parcourent de nuit le quartier déshérité de Whitechapel, y découvrant la promiscuité et la délinquance[28].

Même si « toutes les classes de la société anglaise sont représentées avec une telle exactitude que Doré semble avoir vécu la vie des personnages qu'il met en scène[29] », Doré est principalement frappé par la pauvreté urbaine, qui s'est développée avec l'industrialisation. Les mendiants sont légion dans ce que l'on appelle depuis 1812 des *slums*, des quartiers particulièrement déshérités[30].

Doré réalise de premiers croquis à Londres au printemps 1869, avant de rentrer à Paris. La guerre éclate et Doré reste en France. Il ne retourne à Londres qu'en juillet 1871, pressé par ses éditeurs, et pour gagner du temps s'adjoint Émile Bourdelin, qui dessine les architectures. Celui-ci décrit ainsi leur pérégrination : « Il n'est aucun bouge, parmi les plus horribles, où nous n'ayons pénétré[31]. » Jerrold dit l'inverse : « Je n'ai que très rarement réussi à lui faire prendre un croquis sur place [...] L'approche d'un étranger lui faisait refermer son carnet sur le champ. Dans les docks, comme je faisais valoir l'intérêt qu'il aurait à prendre quelques notes sur le déchargement, il n'accepta qu'à la condition que je me placerais devant lui pour le cacher[32]. » En fait, des esquisses prises sur le vif, conservées, prouvent que les compagnons de Doré étaient parvenus à vaincre sa répugnance initiale. Mais Doré, dont la mémoire visuelle

24. Cussinet 2005, p. 323. Une autre version de l'huile sur toile, au cadrage plus resserré, est en vente à la Kilgore Gallery à New York.

25. Lemercier de Neuville 1861, p. 28 et 29.

26. Musée du monastère royal de Brou, inv. 981.42.

27. *Idem*, inv. 981.39.

28. Jerrold 1891, p. 155-156, p. 204.

29. Duplessis 1885.

30. Anthony S. Wohl, *The Eternal Slum. Housing and Social Policy in Victorian London*, Montréal, MGill-Queen's University Press, 1977, p. 5.

31. Roosevelt 1887, p. 290-291.

32. Noël 1984, p. 19.

Fig. 4 ***Rixe nocturne à l'entrée d'un cabaret à Londres,***
lavis d'encre de Chine et gouache blanche sur papier, 1869, Kunstmuseum, Kupferstichkabinett, Bâle.

Fig. 5 ***Le Buveur de gin,***
huile sur toile, sans date, musée départemental de l'Oise, Beauvais, inv. 12 90.

était légendaire et rivalisait avec la photographie[33], transformait évidemment ces croquis une fois revenu dans son atelier. Il s'agit d'un Londres réel, mais vu par un poète.

Doré a laissé de belles aquarelles et gouaches comme *La Ruelle de Gray's Inn*, datée de 1869[34] ou encore le lavis *Rixe nocturne à l'entrée d'un cabaret à Londres* **(fig. 4)**. Sur les dessins de Doré, les pauvres, enfants, mères, vieillards, se caractérisent par leurs vêtements délabrés et leur maigreur. Le réalisme de la bagarre est transcendé par une atmosphère nocturne et des silhouettes quasi fantomatiques. Il donne de nombreux détails réalistes, tout en créant souvent des ambiances fantastiques, des clairs-obscurs dramatiques, qui marquèrent durablement les esprits. Doré ajoute des références à l'au-delà, par exemple dans la scène où des mendiants dorment sous les ponts, tandis que l'un d'entre eux est couché dans une barque sur la Tamise, tel un mort sur la barque de Charon **(cat. 47)**. Dans cet ouvrage « le Doré fantastique et visionnaire et le Doré réaliste, caricaturiste, reporter du crayon, s'y unissent, comme l'ombre et la lumière[35] ».

Le Buveur de gin **(fig. 5)** est un exemple de ce que Doré a pu voir dans les pubs anglais, traité à la manière d'une scène de taverne hollandaise du XVIIe siècle[36]. Doré déclina ses dessins en peintures pendant de nombreuses années. Citons par exemple *Le Revendeur de Whitechapel*, une huile sur toile signée et datée 1878, identifié avec *The Widower* exposé à la Doré Gallery de Londres. Ce personnage « dickensien », qui serre un enfant endormi contre lui, revient régulièrement dans les gravures et dessins de Doré[37]. *Une maison pauvre*, huile sur toile de 1869, est une description impressionnante de ce que Doré a vu dans les intérieurs anglais **(fig. 6)**.

L'artiste décrit aussi les membres de la haute société anglaise, mais les visages sont alors moins caractérisés. La physiognomonie traditionnelle, qui associe la beauté à la moralité, la laideur au vice, reste prégnante. Il embellit donc certains pauvres, afin de susciter plus d'empathie de la part du spectateur[38] : « Les costumes, les haillons, la débauche, la misère, sont dépeints avec un horrible réalisme. Mais les visages ! Au lieu du type abject de la mendicité de Londres, nous avons la grâce touchante de la grisette parisienne ou le charme oriental de la Jungara cherchant le sommeil à l'ombre de l'Alhambra[39]. »

Le thème des marchandes de fleurs, dont le commerce de bouquets dissimulait souvent celui de leurs corps, est un exemple de cette relative idéalisation par Doré. Il en existe de nombreuses déclinaisons, peintes, dessinées et gravées, Sur la peinture de Liverpool **(fig. 7)**, Doré rassemble plusieurs de ses figurations favorites : une « Madone » à la tête voilée, une mère debout tenant son bébé haut sur son épaule, et une fillette à la grâce de danseuse mélancolique, fixant le spectateur d'un air triste. *La Mendiante à Londres* gravée en 1873[40] ressemble à la *Pauvre Peggy*, qui nous implore de son regard désespéré **(fig. 8)**. Le but de l'artiste est indéniablement de toucher le spectateur en plein cœur.

Dans le même esprit, le dessin de *La Scène de la rue à Londres* (encre brune et noire, plume sur papier, Musée d'Orsay, Paris, inv. RF41389-recto), à première vue réaliste, offre une composition en frise savamment travaillée, telle que Doré en reprendra d'ailleurs pour l'Espagne, contrairement à celui des *Sans-abri de Londres endormis sur un banc* (mine de plomb et estompe avec reprises à la plume et encre noire sur papier, 1870, musée d'Orsay, Paris, inv. RF6888-recto), plus esquissé et naturel. Doré

Fig. 6 *Une maison pauvre à Londres,*
huile sur toile, 1869, Museum of London, Londres, inv. 88.60.

avait été en effet particulièrement touché par les mendiants entassés sur le London Bridge et cette scène lui inspira plusieurs compositions.

Louis Enault, préfaçant sa traduction française de l'album, estime qu'à Londres, plus que dans toute autre capitale européenne, « on est ébloui par les merveilles d'une civilisation à outrance, et affligé par les misères que l'on ne retrouverait nulle part si poignantes ni si complètes, non, pas même chez les nations placées au dernier degré de l'échelle sociale ». Pour l'Anglais Jerrold, ces extrêmes sont moins choquants. Il met ainsi en avant la vertu nationale de la charité, que Doré évoque sur le dessin *La Charité des poissonniers* (fig. 9).

Doré déclara à propos des populations pauvres de Londres : « C'est pour eux que je travaille. » Permettant au plus grand nombre d'avoir accès à des textes littéraires réputés difficiles, il était reconnu dans les rues par les Londoniens, qui connaissaient ses ouvrages illustrés, surtout sa *Bible*. Sa popularité et sa productivité lui valaient d'ailleurs d'être considéré comme « commercial » par ses détracteurs.

Devant ses représentations, on pense à *Oliver Twist* (1839) ou *David Copperfield* (1850), de Charles Dickens, ou encore aux *Misérables* (1862) de Victor Hugo. Hugo et

33. Doré déclara ainsi à Jerrold qu'il avait « du collodion dans la tête », c'est-à-dire un produit chimique qui permettait de produire des pellicules photographiques. Sur le rapport de Doré à la photographie, voir Philippe Kaenel, « Gustave Doré à l'œuvre : vision photographique, imitation et originalité », actes du colloque « L'Image répétée », Victoria, juin 2011 (www.revue-textimage.com).

34. Collection particulière, Clapp 1983, p. 25, cat. n° 18 ; cat. expo Strasbourg 1983, n° 74.

35. Kaenel 1985, p. 66.

36. *Le Guitariste*, au musée d'Unterlinden de Colmar, inv. 88 RP 75, daté de 1870, est une autre scène de genre dans le goût des peintres caravagistes d'Utrecht.

37. Cat. expo Strasbourg 1983, n° 162.

38. Kaenel 1985, p. 58.

39. Roosevelt 1887, p. 294.

40. Musée du monastère royal de Brou, inv. 951.13, reproduite dans Poiret 1995, n° 20.

Fig. 7 ***Les Marchandes de fleurs à Londres,***
huile sur toile, vers 1875, Walker Art Gallery, Liverpool, inv. WAG 2282.

Fig. 8 ***Jeune Mendiante à Whitechapel, Pauvre Peggy,***
aquarelle et crayon sur papier cartonné, collection particulière.

Doré s'admiraient. Doré s'était inspiré de *Notre-Dame de Paris* pour dessiner la cour des Miracles de Paris[41] et avait illustré de trois cents dessins *Les Travailleurs de la mer*. Hugo lui adressa ses remerciements et ses éloges dans une lettre du 18 décembre 1866[42]. Ces deux monstres du romantisme partageaient au moins deux points communs : la volonté d'une description sociale exaltée par le romantisme, et un succès populaire non soutenu par la critique.

En revanche, à la différence de Hugo, Doré n'était pas engagé politiquement. Son désir de secourir les miséreux était de nature chrétienne. Doré aurait ainsi déclaré au chanoine Harford que sa religion était tout entière contenue dans le treizième chapitre de l'Épître aux Corinthiens de saint Paul, qui fait de la charité la première des vertus[43]. La générosité de Doré semble en effet avoir été grande : « Jamais il ne gardait un sou, jamais il ne dépensait pour lui. Les mendiants et les joueurs d'orgue en profitaient[44]. » Blanche Roosevelt relate de nombreux exemples : à l'âge de sept ans, il donne ses souliers à un orphelin qui n'en avait pas[45]. Bourgeois installé, il passe dans les orphelinats offrir vêtements, argent et jouets[46], donne cinq cents francs à un ouvrier blessé par sa chute d'un échafaudage, décide d'utiliser la somme de 10 000 francs gagnée à la roulette à Baden-Baden en 1862 pour fonder un hôpital, ou simplement paie généreusement ses courses en fiacre[47]. C'est son legs de 45 000 francs qui permet l'achat de la maison du peintre Émile Adam à Courbevoie, pour abriter un orphelinat d'enfants d'artistes, créé par Sarah Bernhardt et Hortense Schneider[48].

Fig. 9 *La Charité des poissonniers, étude dans un quartier de Londres,*
aquarelle, crayon, mine de plomb, encre noire et plume sur papier, musée d'Orsay, Paris, inv. RF12234.

L'Espagne

À l'instar de nombreux artistes du XIXe siècle (Hugo, Mérimée, Musset, Gautier, Rossini, Bizet, Manet...), Doré est fasciné par la culture ibérique. Sa mère elle-même aime se vêtir en « bohémienne comme il faut », affectant « des modes moitié mauresques, moitié andalouses »[49]. En 1855, il se rend dans les Pyrénées, à Biarritz et en Espagne avec Paul Dalloz et Théophile Gautier[50]. Selon Taine, Doré aurait travaillé également à partir de photographies au cabinet des Estampes de la Bibliothèque nationale, pour illustrer son *Voyage aux eaux des Pyrénées*[51].

De ce premier voyage en Espagne, et de corridas vues à Bayonne, Doré tire un album de *Tauromachie*, publié en 1860[52]. En 1861 puis 1862, il accompagne Jean-Charles Davillier en Espagne, en vue de publications régulières dans *Le Tour du monde* ; les planches et textes sont rassemblés dans un album qui paraît en 1874 sous le titre *L'Espagne*. Son style y est plus pittoresque que fidèle à la réalité[53].

De même, dans ses modestes illustrations pour *La France en Afrique et l'Orient à Paris : voyage, colonisation et exposition*, de Gastineau, paru en 1864, Doré ne tient évidemment pas compte de la réalité des faits et coutumes représentés, ne s'étant jamais rendu dans les pays décrits.

Il tire de ses voyages espagnols l'inspiration pour d'autres travaux, comme le *Don Quichotte* de Cervantès (1865), qu'il décline en dessins, gravures et peintures. Son tableau *Don Quichotte et Sancho Pança amusés par Basil et Quiteria* (fig. 10), est traité à la manière d'une peinture espagnole du XVIIe siècle, avec une atmosphère sombre et de nombreux détails réalistes.

41. Cat. expo Strasbourg 1983, n°s 223 et 224.
42. Roosevelt 1887, p. 221-222.
43. *Ibid.*, p. 254.
44. *Ibid.*, p. 39-41, avec un dessin de 1840, représentant un jeune garçon les pieds nus.
45. *Ibid.*, p. 39.
46. *Ibid.*, p. 238.
47. *Ibid.*, p. 211-212, 218 et 292.
48. Ce lieu existe toujours, géré par l'association « Les Enfants des Arts » : www.enfants-des-arts.org/accueil_064.htm
49. Roosevelt 1887, p. 229-230.
50. *Ibid.*, p. 181.
51. Cette information fait indûment écrire à Dominique Choffel-Berthou (« Les illustrations dans les livres de voyage et leur véracité », *Gazette des beaux-arts*, mars 1988, p. 219-220) que Doré n'est jamais allé en Espagne avant 1862.
52. Lafront et Darrieumerlou 1984, p. 6 ; voir aussi *Corrida de torros*, 1861, musée du monastère royal de Brou, Bourg-en-Bresse, inv. 981.64.
53. Trois dessins de Doré, ainsi qu'une lettre de Davillier, datés de cette période, sont conservés au musée du Louvre, inv. A 901 ; cat. expo *Souvenirs de voyage. Autographes et dessins français du XIXe siècle*, Paris, musée du Louvre, cabinet des Dessins, 1992, n° 32.

Fig. 10 ***Don Quichotte et Sancho Pança amusés par Basil et Quiteria,***
huile sur toile, vers 1863, Metropolitan Museum of Art, New York, inv. 28 113.

Comme en Angleterre, Doré est frappé en Espagne par la pauvreté, qu'il peint à de nombreuses reprises[54]. Même s'il reprend des clichés du genre, ces scènes populaires lui donnent l'occasion de faire contraster costumes chatoyants et miséreux, dames élégantes et nains difformes… Sur le *Parvis d'église à Séville*[55] **(fig. 11)**, les mendiants de tous âges s'entassent au seuil d'une église. Ils présentent leurs enfants à la belle dame qui entre dans le lieu. Celle-ci, vêtue d'une somptueuse robe noire et coiffée d'une rose rouge, offre son aumône d'un geste distingué à une petite fille tenant un bébé dans ses bras. Le contraste entre la tristesse, la pauvreté de ces enfants et l'élégance joyeuse de la señora est frappant. *Les Enfants espagnols* reprennent le topos déjà développé pour Londres de la fillette triste qui porte son petit frère.

Les Contrebandiers espagnols **(fig. 12)** dérivent d'un dessin dit aussi *Mendiants à Burgos* portant la date de 1868[56], lui-même décliné en gravure dans *Le Tour du monde*, t. XXV, en 1873, sous l'appellation de *Halte de gitanos*, puis dans *L'Espagne* de Davillier en 1876. Doré fit également une aquarelle de cette composition, exposée en 1883 à la Société des aquarellistes français (n° 7). Le cadrage plus serré et les grandes dimensions de la peinture donnent une monumentalité inhabituelle au thème.

De ses croquis en Espagne, Doré tire également des scènes de genre d'un doux exotisme, peu réalistes. La *Madone bohémienne* ou *Jeune Orientale allaitant son enfant* est considérée par Jerrold comme une des plus belles peintures de son ami[57]. Les figures de la diseuse de bonne aventure ou de la danseuse gitane, récurrentes dans la peinture depuis le XVIIe siècle et devenues importantes au XIXe siècle, sont reprises par Doré[58]. Mais, comme en Angleterre, Doré transcende le pittoresque pour donner à ses personnages un caractère profondément humain, intemporel et universel, comme dans la *Siesta, souvenirs d'Espagne*, peinture exposée au Salon de 1875 **(fig. 13)**.

Les portraits

La sensibilité de Doré à la pauvreté ne l'empêche pas d'être un bon vivant, qui connaît le Tout-Paris et compte de nombreux amis parmi les artistes de l'époque. Il fréquente ainsi Gounod, Liszt, Offenbach, Dumas, Gautier, les Goncourt, Musset, George Sand, Flaubert, Maupassant… Il a cependant réalisé peu de portraits : il n'en présente qu'un seul au Salon annuel, non identifié. En général il s'agit de ses proches et, le plus souvent, d'aquarelles. Doré représente son amie Sarah Bernhardt à plusieurs reprises[59].

Il passe l'été 1862 à Baden-Baden, en Allemagne, où les jeux de roulette lui inspirent *Le Tapis vert*, exposé au Salon de 1867[60]. Cet immense tableau (5,5 x 11 mètres), qui montre quatre-vingt-deux personnages autour d'une table de jeu, choque par ses dimensions inhabituelles pour une scène de genre **(fig. 14)**. À son sujet, Théophile Gautier écrit : « Certes Gustave Doré a fait ses preuves comme puissance d'imagination et rien ne lui était plus facile que d'emprunter un thème à l'histoire ou à la légende ; mais il a préféré être de son temps et peindre ce qu'il avait vu, hardiesse toujours périlleuse[61]. » On reconnaît entre autres les visages de Doré lui-même, de la chanteuse et compositrice Pauline Viardot, épouse de Louis Viardot – traducteur de *Don Quichotte* –, ceux de l'écrivain Alexandre Dumas père et du compositeur Charles Gounod.

Mais les portraits sont chez Doré liés à sa vie personnelle et ne se caractérisent

54. Y compris dans d'autres contrées comme le Tyrol, il rapporte des figures de mendiants. Voir croquis reproduit dans Roosevelt 1887, p. 211.

55. Catalogue de vente « Gustave Doré », Hôtel Drouot, Paris, 3 juin 1986, n° 109, fig. 14.

56. Collection particulière, cat. expo Strasbourg 1983, n° 69.

57. Annie Renonciat, notice n° 195 du catalogue de vente « Tableaux et sculptures du XIXe siècle », de l'étude Tajan, Hôtel Drouot-Montaigne, Paris, 13 mai 1997.

58. Emmanuel Filhol, « La Bohémienne dans les dictionnaires » (XVIIIe-XIXe siècles), dans Pascale Auraix-Jonchière et Gérard Loubinoux (dir.), *La Bohémienne, figure poétique de l'errance aux XVIIIe et XIXe siècles*, Clermont-Ferrand, 2005, p. 27, p. 41, reproduisant le dessin d'une *Gitana dansant* (*environs de Séville*), fonds Vaux de Foletier, spécialiste des tsiganes, conservé aux archives départementales de Charente-Maritime.

59. Sur un dessin conservé dans les Musées de Strasbourg, un autre au Cantor Arts Center d'Oxford et sur deux peintures non localisées aujourd'hui. Il fit de même un portrait peint d'Adelina Patti, vendu en 1988 à Londres (Zafran 2007, « Portraits », note 9).

60. Museum of Fine Arts, Florida State University, Tallahassee. Il existe aussi deux études, l'une conservée dans une collection particulière new-yorkaise, reproduite dans Zafran 2007, p. 114, et l'autre à Poitiers, fig. 17.

61. *L'Artiste*, 1869, II, p. 93-96, cité par Kaenel 1985, p. 68.

Fig. 11 ***Parvis d'église à Séville,***
huile sur toile, 1868, collection particulière.

Fig. 12 ***Les Contrebandiers espagnols,***
huile sur toile, vers 1868-1876, Museum of Fine Arts, Richmond (Virginie).

Fig. 13 ***La Siesta, souvenirs d'Espagne,***
huile sur toile, vers 1868,
National Museum of Western Art, Tokyo,
inv. P 2005-007.

pas par un réalisme poussé. En 1855, c'est le suicide de son ami Gérard de Nerval qu'il décrit, de manière macabre et poétique à la fois, dans une composition quasi symboliste. Le corps désarticulé du poète est pendu à une grille de *La Rue de la Vieille Lanterne*, son âme est emportée par le squelette de la Mort vers une nuée céleste. Sur un fusain, Doré se représentera lui-même en pendu, portant la Légion d'honneur, l'allégorie de la Peinture au pied de sa potence[62]. En 1868, c'est un autre ami, le compositeur Rossini, qu'il dessine sur son lit de mort (musée Carnavalet, Paris), puis peint à l'huile sur toile (Smith College Museum of Art, Northampton).

Les événements contemporains décrits par Doré

Il fut reproché à Doré de n'être pas intéressé par l'actualité et la politique, au contraire de son homologue illustrateur et peintre Daumier : il considérait en effet que la caricature était un art superficiel et qu'un artiste ne devait pas avoir d'opinion politique (contrairement à Hugo, comme nous l'avons vu plus haut).

Il est tout de même, par son travail d'illustrateur et de caricaturiste, un témoin privilégié des événements historiques. Il participe à de nombreux journaux : *Le Journal pour rire* (qui devient *Le Journal amusant*), *The Illustrated London News*, *Le Journal pour tous*, *Les Images pour tous*, *Le Voleur*, *Le Monde illustré*, *L'Univers illustré*, *Le Tour du monde*, *La Guerre d'Italie*, la *Gazette des beaux-arts*, *Les Nouvelles du jour*[63]... Il écrit et illustre en 1854 un pamphlet anti-russe, à l'occasion de la guerre de Crimée qui oppose en Turquie le tsar aux Anglais et aux Français : *Histoire pittoresque, dramatique et caricaturale de la Sainte Russie*[64], totalement burlesque.

Début 1855, Philipon ajoute au *Journal pour rire* un supplément nommé *Musée français-anglais*, destiné à relater les événements de la guerre de Crimée, se basant sur le témoignage du docteur Bordone, sur place. Il produit également de grandes peintures de bataille : *La Bataille de l'Alma*, en 1855, sans doute détruite, et *La Bataille d'Inkermann* (défaite des Russes le 5 novembre 1854), en 1857, conservée au château de Versailles (inv. MV 1959).

Les événements des années 1870-1871 ont beaucoup inspiré les artistes[65] : Doré n'échappe pas à cette règle. Entre la déclaration de guerre (19 juillet 1870) et le siège de Paris (mi-septembre 1870), il multiplie les compositions allégoriques patriotiques : *La Patrie en danger*, *Le Rhin allemand*, *La Marseillaise*, *Le Chant du départ*. Mais seul le projet de brevet de garde national est conservé.

Durant l'occupation prussienne, l'artiste devient garde national, tout en continuant à dessiner ce qu'il a sous les yeux. *L'Album de vingt-six dessins sur le siège de Paris*, conservé au musée Carnavalet, documente ainsi le quotidien difficile des Parisiens[66]. Doré insiste surtout sur la détresse des femmes et des enfants. Il évoque dans un triptyque un drame familial : *Le Départ du garde national*, *Le Garde blessé* et *Le Bombardement*, entraînant le renversement du berceau et la mort de l'enfant[67]. Le musée des Beaux-Arts de Mulhouse conserve un dessin à la plume et à l'aquarelle relatant également une scène de bombardement **(cat. 56)**. Le tableau *Sœur de charité sauvant un enfant* **(cat. 61)** a été bien étudié[68]. Théophile Gautier écrit à son sujet : « On sent que l'artiste a vu ce qu'il a peint[69]. » Il s'agit de la peinture la plus réaliste – et dramatique à la fois – de Doré relative à la période du siège de Paris, même si on peut en

62. Kaenel 1985, p. 44.
63. Renonciat 1983, p. 87.
64. Musée du monastère royal de Brou, inv. 981.67.
65. Hollis Clayson, *Paris in Despair: Art and Everyday Life under Siege, 1870-71*, Chicago, 2002 ; Lisa Small, « L'Année Terrible and Political Imagery », dans Zafran 2007.
66. Cat. expo Strasbourg 1983, nº 91 ; Riand 2011, p. 8, fig. 9 et 10.
67. Paris, collection particulière, cat. expo Strasbourg 1983, nºs 94, 95 et 96.
68. Riand 2011.
69. *Tableaux de siège : Paris 1870-71*, Paris, 1871, p. 220.

faire une lecture symbolique. En février 1871 est entérinée l'annexion de l'Alsace à la Prusse, ce qui affecte énormément Doré. Il peint *L'Alsace meurtrie* (cat. 62), présentée au Salon de 1872.

Après le siège, il quitte la capitale administrée par les communards pour s'installer à Versailles, où a fui le gouvernement. La Commune (18 mars-28 mai 1871) et ses affrontements meurtriers lui inspirent un album dans lequel il reprend un style caricatural sans concession et qui n'a été publié que quatorze ans après sa mort, en 1907, sous le titre *Versailles et Paris en 1871*[70]. L'affrontement entre les deux camps y est montré dans toute sa cruauté, non sans misanthropie.

Cette même année, Doré peint trois grisailles réunies sous le titre *Souvenirs de 1870* : *L'Énigme* (cat. 58), *L'Aigle noir de Prusse* (cat. 59) et *La Défense de Paris* (cat. 60). Si les compositions sont allégoriques, les détails sont traités avec réalisme. On y voit, aux côtés de grands anges, des soldats morts ou blessés, des mères protégeant leur enfant, dans des expressions variées et poignantes.

Si leurs thèmes sont similaires, la touche et les compositions de Doré sont fort différentes de celles, dépouillées et spontanées, de son collègue illustrateur Daumier, également affecté par la guerre franco-prussienne puis le conflit civil[71].

Ces dessins et peintures avaient véritablement une valeur cathartique pour Doré qui, sollicité par son amie Amelia Edwards, avait refusé de les présenter en Angleterre pour ne pas y dégrader l'image de sa patrie[72].

Le romantisme et le réalisme dans l'œuvre de Doré

Doré s'est attaché, dans ses scènes de genre et ses peintures historiques, à rendre au mieux la réalité. Mais, en véritable artiste, il l'a fait en leur donnant un caractère universel, intemporel et émouvant.

Doré était un « romantique réaliste ». Sa peinture, n'appartenant à aucune école, relevant autant du naturalisme que de l'imaginaire, a été qualifiée de « réaliste et visionnaire[73] ». C'est peut-être d'ailleurs, entre autres, ce caractère inclassable, cette trajectoire vagabonde, qui le desservit auprès de la critique.

Théophile Gautier s'écria cependant, avec justesse : « Quel sens de la réalité, et en même temps quel esprit visionnaire et chimérique ! L'être et le non-être, le corps et le spectre, le soleil et la nuit, Gustave Doré peut tout rendre[74]. »

Fig. 14 ***Au casino*, esquisse pour *Le Tapis vert*,**
lavis, crayon et rehauts de blanc,
musée Sainte-Croix de Poitiers, inv. 74.1.1.

70. (Un député de l'Assemblée nationale : « À l'ordre ! À l'ordre... La question préalable... Assez... L'ordre du jour pur et simple ! Assez !... » Un communard : « Vous savez ce qu'on dit ? On dit que Mr Devienne avec Mr Jules Favre avec Mr Bismarck est en train de former un régiment de curés habillés en sergents de ville !... Où allons-nous ?... Pauvre France ! », p. 4 et 92, impressions de 1907 d'après des dessins de 1871, Versailles et Paris, musée du monastère royal de Brou, Bourg-en-Bresse, inv. 982.546.)

71. *Les Émigrants*, bas-relief, 1871, Washington, National Gallery of Art ; *Femme portant un enfant*, huile sur toile, Suisse, collection particulière.

72. Edwards 1883.

73. Gronkowski 1932 et Kaenel 1985.

74. Claretie 1874.

L'héritage artistique légué par Gustave Doré

Doré, dessinateur prodige dès son enfance et passionné par la littérature, réussit rapidement à se forger un univers propre, mélangeant subtilement l'imaginaire et le réel. Certains parleront de romantisme pour qualifier son œuvre, mais elle est plus que cela. Il parvient dans ses productions et plus particulièrement dans ses gravures et ses paysages à insuffler une atmosphère. Cette particularité se retrouve dans ses illustrations qui diffèrent d'un ouvrage à l'autre en raison de sa sensibilité et de l'émotion qu'il veut procurer par son style graphique. Tour à tour, elles peuvent être amusantes et grotesques dans les *Contes drolatiques* (1855) de Balzac, effrayantes dans *L'Enfer* (1861) de Dante Alighieri ou tout simplement magistrales dans *La Sainte Bible* (1866). Il en va de même avec ses nombreux paysages, qu'ils soient mystiques, contemplatifs ou angoissants. Néanmoins, à travers son œuvre colossale et variée, il reste identifiable, ce qui est l'apanage des grands artistes.

L'influence de Gustave Doré à travers les beaux-arts

L'œuvre de Gustave Doré prolonge, durant la seconde moitié du XIXe siècle, l'imaginaire romantique et le mysticisme de la foi. Ses gravures, en particulier ses livres illustrés, furent diffusées jusqu'aux confins du monde occidental. Contrairement à ses dessins, ses peintures, exposées régulièrement au Salon, étaient peu appréciées en France. Il en allait différemment outre-Manche. Plus sensible à ses peintures, l'Angleterre en expose un certain nombre à l'Egyptian Hall en 1867 puis dans sa propre galerie, la Doré Gallery, qui sera ouverte de 1868 à 1917.

Ainsi, les artistes anglais et français connaissaient l'œuvre de Doré et purent s'en inspirer. Sa postérité auprès d'eux mériterait d'être étudiée, mais nous pouvons d'ores et déjà poser quelques jalons, qui montrent, si besoin était, l'influence durable de Doré.

Contrairement à ce que l'on pourrait penser, les premiers artistes influencés par lui ne furent pas des peintres mais des sculpteurs. En 1880, Auguste Rodin reçoit la commande d'une porte de bronze par le sous-secrétariat aux Beaux-Arts. Celle-ci doit représenter les tourments des damnés de l'enfer, tels qu'ils sont décrits dans *L'Enfer* de *La Divine Comédie*. Il s'inspire des précédents travaux de Michel-Ange, William Blake et Gustave Doré sur ce sujet et réalise une œuvre monumentale étonnante. Bien que reprenant ses esquisses du *Penseur* et d'*Ugolin et ses fils*, Rodin crée un univers foisonnant où les guirlandes de corps imaginées par Doré occupent une place

Fig. 1 **Antoine Bourdelle, *Croquis d'après une illustration de Gustave Doré pour l'Enfer de Dante,***
plume et lavis d'encre brune sur papier vélin, 20,7 x 13,8 cm, vers 1885, musée Bourdelle, Paris, inv. MB D 6394.

prépondérante. N'ayant pu présenter *La Porte de l'Enfer* à l'Exposition universelle de 1889, il laisse le projet en suspens et en présente une première ébauche seulement en 1900 dans le cadre de sa grande exposition personnelle. En 1917, Léonce Bénédite, premier conservateur du musée Rodin, parvient à convaincre le sculpteur de le laisser reconstituer son chef-d'œuvre pour en faire réaliser une fonte, malheureusement Rodin meurt avant de voir le résultat de tous ses efforts[1].

Tout comme Rodin, le sculpteur Antoine Bourdelle a donné naissance à une production graphique foisonnante, notamment une douzaine de feuilles à l'encre brune s'inspirant des illustrations de Doré pour *L'Enfer* **(fig. 1)**. Ces feuilles proviennent d'un carnet aujourd'hui démembré. Bien que l'on n'ait pas retrouvé l'ouvrage illustré par Doré dans la bibliothèque d'Antoine Bourdelle, nous pouvons supposer que l'artiste se rendit à la première rétrospective du graveur. Celle-ci eut lieu à Paris, dans les salons du Cercle de la librairie, en mars 1885 et permit aux visiteurs de découvrir un certain nombre de dessins, d'aquarelles et d'estampes de Gustave Doré jusque-là inédits. Bourdelle, alors jeune disciple d'Alexandre Falguière, dut, sur les conseils de son maître dont il venait d'intégrer l'atelier, se rendre à cette exposition[2]. Tout comme Gustave Doré, Falguière pratiquait son art de manières diverses ; sculpteur émérite, il s'adonnait fréquemment à la peinture. On peut ainsi penser que Falguière, contemporain de Gustave Doré, mais aussi en tant qu'artiste protéiforme, incita ses élèves à travailler de la même manière.

Le lieu choisi pour cette première rétrospective est significatif de la considération que l'on portait à l'œuvre peint et sculpté de Gustave Doré. En effet, le Cercle de la librairie est le syndicat des industriels français de l'édition. Ainsi, les premiers à rendre hommage à Gustave Doré furent les éditeurs et le monde de la presse et non celui des beaux-arts…

Les grands peintres ont de même été marqués par les compositions magistrales de Doré. Vincent Van Gogh s'en inspire en copiant, juste avant de mourir en 1890, la gravure intitulée *Prison de Newgate – Cours d'exercice* pour peindre *La Ronde des prisonniers* **(fig. 2)**. Hospitalisé à l'asile de Saint-Rémy-de-Provence, le peintre en est réduit à copier les artistes présents dans certains ouvrages, dont *Londres* **(cat. 47** et **48)** qui contient cette gravure de Gustave Doré[3].

Si Bourdelle s'était émerveillé des multiples torsions des corps aux enfers et de leurs détails anatomiques, le peintre hollandais se passionne pour l'intégralité de cette gravure qui retranscrit avec force l'enfermement et l'isolement qu'il est lui-même en train de vivre. Par rapport à l'original, il n'y a pas de différence, seul l'ajout de la couleur permet à Van Gogh de se transposer dans le personnage central. Celui-ci est roux, le visage rongé de tristesse, et reflète l'inhumanité du lieu. Cet autoportrait traduit le tourment de sa maladie, qu'il évoque ici.

Van Gogh s'intéresse plus généralement à l'aspect social de l'œuvre de Gustave Doré. Ayant des difficultés à trouver sa vocation, il avait décidé en 1879 d'embrasser la carrière de pasteur, comme son père avant lui. Par principe, il vivait sa foi dans le dénuement le plus total et exhortait les autres à faire de même, mais les autorités ecclésiastiques le licencièrent pour « atteinte à la dignité du sacerdoce ». À la suite de cet événement, le peintre vécut quelques mois en compagnie de mineurs du Borinage[4].

1. Antoinette Le Normand-Romain, « The Gates of Hell: The Crucible », dans *Rodin*, Londres, The Royal Academy of Arts, 2006, p. 55-63.
2. *Antoine Bourdelle… Que du dessin*, Paris, Paris Musées, 2011, p. 64.
3. Ronald Pickvance, *Vincent Van Gogh*, Martigny, Fondation Pierre Gianadda, 2000, p. 49.
4. Mike McGowan, « La Face divine de Vincent Van Gogh », dans *Fac-Réflexion*, n° 50, 2000, p. 4-12.

Fig. 2 **Vincent Van Gogh, *La Ronde des prisonniers,***
huile sur toile, 80 x 64 cm, 1890, musée Pouchkine, Moscou.

Fig. 3 **Pablo Picasso,**
Famille d'acrobates avec singe,
gouache, aquarelle, pastel et encre de chine sur carton, 104 x 75 cm, 1905,
Göteborg, musée des Beaux-Arts, inv. GKM 0699.

Van Gogh gardera toute sa vie une profonde affection pour le petit peuple. Admirateur du réalisme et de ses représentants, il ne pouvait qu'être fasciné par les œuvres de Doré telles que *Londres*.

Au début du XXe siècle, en pleine période rose, Pablo Picasso peint *Famille d'acrobates avec singe* (**fig. 3**) en s'inspirant des *Saltimbanques* (voir p. 42, **fig. 2**) de Doré[5]. Mais il réinvente la scène. L'univers reste celui du cirque et il conserve les trois mêmes personnages, mais sa composition plus lumineuse et ses couleurs plus chaudes aboutissent à une impression totalement opposée à l'original. Là où Gustave Doré voulait évoquer le désarroi de ces saltimbanques face à l'accident de leur enfant, Picasso représente le bonheur de cette famille. On soupçonne à peine le fait que l'enfant s'est peut-être fait mal et qu'il vient trouver du réconfort dans les bras de sa mère. Les deux hommes partageaient les mêmes passions pour la gravure, la tauromachie, *Don Quichotte*, la culture gitane ou l'Espagne en général.

Espagnol lui aussi, Salvador Dalí s'intéresse à Gustave Doré. Référence incontournable de l'art contemporain, cet amoureux du XIXe siècle emprunte sa grande maîtrise technique à Ernest Meissonier et une partie de son imaginaire à l'univers de Doré. Les animaux aux longues pattes, les corps noueux à la fois durs et mous et les compositions religieuses à la mise en scène impressionnante rappellent les gravures et les peintures religieuses de Doré.

En marge de son travail en tant que peintre et sculpteur, Dalí commence en 1950 une série de cent aquarelles illustrant les cent chants de *La Divine Comédie*. Éditée en 1959, cette vision de l'œuvre de Dante emprunte parfois les environnements et les personnages des gravures de Doré et connaîtra un grand succès chez les bibliophiles[6].

Pour compléter ces exemples célèbres et mieux cerner l'influence potentielle de Doré sur des artistes anglais ou français, il faudrait étudier enfin le travail de ses élèves et de ses collègues illustrateurs et peintres, Édouard Riou, Émile-Antoine Bayard, Henri Rivière ou encore Hector Giacomelli qui, tous, s'inspirèrent de Doré, travaillèrent avec lui ou partagèrent sa passion de l'aquarelle.

L'apport de Gustave Doré au septième art

Dès le milieu du XIXe siècle et de son vivant, Doré fut sollicité pour la production de panoramas ou de dioramas. Un certain monsieur Robin demande la permission d'utiliser les illustrations de *L'Enfer* pour un spectacle de fantasmagorie alors que le célèbre concepteur de lanternes magiques Paul Hoffmann peint des plaques en verre d'après les dessins de *La Divine Comédie*[7]. Ces nouveaux divertissements vont se donner tout au long du siècle. Ils s'industrialisent et se répandent rapidement dans tous les milieux y compris les salons bourgeois qu'affectionne Gustave Doré.

Ainsi, il n'est pas étonnant de retrouver l'univers de Doré avec l'apparition du cinéma à Paris en 1895. Alors que le procédé n'en est qu'à ses balbutiements, plusieurs films s'inspirant des grands auteurs voient le jour[8]. En 1911, le film italien *Inferno*, des réalisateurs Bertolini, Padovan et De Liguoro, porte à l'écran *La Divine Comédie* de Dante. Pour l'occasion, les illustrations de Doré se transforment en véritable story-board et sont copiées au personnage près. On retrouve ainsi dans le film plusieurs passages

5. *Gustave Doré 1832-1883*, Strasbourg, musée d'Art moderne – cabinet des Estampes, 1983, p. 144.

6. Corrado Gizzi, *Salvador Dalí e Dante*, Milan, Mondadori, 1997.

7. Philippe Kaenel, *Gustave Doré réaliste et visionnaire 1832-1883*, Genève, Le Tricorne, 1985, p. 86.

8. Sylvie Carlier, *L'Enfer Doré, Dante et Virgile dans le neuvième cercle de l'enfer*, Lyon, Fage, 2005, p. 41-48.

Fig. 4 Francesco Bertolini, Adolfo Padovan
et Giuseppe De Liguoro,
Lucifer dévorant ses victimes, scène de *Inferno*,
photographie, 1911, Milano Films.

Fig. 5 Gustave Doré, *Les Suicidés*, dans *L'Enfer*,
gravure, 1862, Médiathèque Vailland, Bourg-en-Bresse.

Fig. 6 Henry Otto, *La forêt des suicidés*, scène de *Dante's Inferno*,
photographie, 1924, Fox Film Corporation.

marquants tels que la traversée du Styx, les glaces éternelles du neuvième cercle de l'enfer ou encore Lucifer dévorant ses victimes (fig. 4).

Ce film muet oscille entre séquences filmées et cartons narratifs, pourtant il représente pour l'époque une véritable prouesse d'ingéniosité et de créativité, tout en respectant le texte original de Dante.

En 1924, une nouvelle version du film, intitulée *Dante's Inferno*, est réalisée par l'Américain Henry Otto. Transposée dans le monde moderne, elle bénéficie de meilleurs effets spéciaux et l'histoire s'agrémente de situations comiques rappelant les premiers films de Buster Keaton. Les illustrations de Gustave Doré servent à nouveau de source d'inspiration, notamment pour la forêt des suicidés et les damnés métamorphosés en arbres qui y résident (fig. 5 et 6).

Fig. 7 **Gustave Doré, *Dante et Virgile devant la tombe ardente de Farinata,* dans *L'Enfer*,** gravure, 1862, Médiathèque Vailland, Bourg-en-Bresse.

Une troisième version éponyme, réalisée par un autre Américain, Harry Lachman, verra le jour en 1935. Cette version n'hésitera pas à reproduire les visions infernales du film d'Henry Otto, dont la fameuse forêt, et permettra à la jeune Rita Hayworth de commencer sa carrière. L'affiche du film, bien que déclinée en plusieurs versions péplum, prendra l'apparence de la célèbre gravure de Gustave Doré représentant Dante et Virgile devant la tombe ardente de Farinata (fig. 7 et 8). Par leurs visuels extrêmement forts, les gravures de *La Divine Comédie* sont aujourd'hui systématiquement associées au chef-d'œuvre de Dante Alighieri.

En 1948, l'Anglais David Lean réalise *Oliver Twist* d'après Charles Dickens. Il s'inspire des illustrations de *Londres* par Gustave Doré afin de recréer en studio les bidonvilles et les rues malfamées de la ville au XIXe siècle[9]. Les dessins d'enfants et de mendiants sont également utilisés, tout comme les cadrages en contre-plongée imaginés par Doré, que l'on cherche parfois à reproduire à l'identique. Novateurs et spectaculaires, ils donnent au film une esthétique encore rarement atteinte pour l'époque. Grâce aux nombreux apports de Gustave Doré, ce film marque le renouveau du cinéma britannique, en plongeant dans les racines culturelles du pays.

Doré est aussi une référence pour le cinéma français. En 1946, *La Belle et la Bête* de Perrault, filmé par Jean Cocteau, a pour ambition de porter à l'écran les univers de deux grands artistes. Ainsi, pour la création des décors et l'éclairage, les travaux de Gustave Doré deviennent la référence d'un monde surnaturel en opposition aux peintures de Johannes Vermeer utilisées pour recréer le monde réel.

En réalisant *Peau d'âne* en 1970, Jacques Demy rend hommage à Jean Cocteau. Tout comme lui, il s'inspire des illustrations de Gustave Doré pour créer ses deux personnages principaux que sont la fée des Lilas et Peau d'Âne, incarnées respectivement par Delphine Seyrig et Catherine Deneuve.

Plus récemment, ce sont *Les Aventures du baron de Münchausen*, de l'ex-Monty Python Terry Gilliam, qui portent une partie de l'imaginaire de Doré à l'écran en 1988. Inspiré de la légende d'un officier allemand du XIXe siècle, le film narre les périples incroyables d'un homme capable de voyager sur un boulet de canon, de se rendre sur la lune ou encore de survivre dans le ventre d'un monstre marin... Pour l'univers visuel du film qui est extrêmement riche, Gilliam, amateur de peintures, reprend tour à tour des œuvres de Botticelli, de Boucher et de Jean-Léon Gérôme. Pour sa direction artis-

9. Philippe Kaenel, *op. cit.*, p. 88-90.

tique, il s'inspire principalement des représentations de Gustave Doré. Il engage d'ailleurs l'acteur John Neville dans le rôle principal, pour son talent mais également pour sa profonde ressemblance avec le héros dessiné par Gustave Doré **(fig. 9)**. Le réalisateur témoigne à ce sujet : « Le personnage du baron, tel que nous l'avons conçu, avec son physique longiligne et son nez busqué, sort tout droit des illustrations de Gustave Doré. J'avais inséré de nombreux dessins de Doré dans mon scénario original. Je ne les ai plus consultés pendant le tournage, mais ils m'ont manifestement influencé à mon insu, notamment en ce qui concerne les maquillages de Vulcain (interprété par Oliver Reed)[10]. »

En 2001, Terry Gilliam récidive pour le casting de *L'Homme qui tua Don Quichotte*. Ce film, qui s'inspire librement du roman *Don Quichotte* de Cervantès, ne verra jamais le jour mais donne naissance à un documentaire intitulé *Lost in la Mancha*. Tout comme John Neville devenu Münchhausen, Gilliam, influencé par le travail de Doré sur cet ouvrage, attribuera le rôle de Don Quichotte à l'acteur français Jean Rochefort (fig. 10, p. 48). À titre de comparaison, le réalisateur s'embarrassera beaucoup moins du rôle de Sancho Pança en l'attribuant à son acteur fétiche, Johnny Depp.

Fig. 8 **Affiche du film *Dante's Inferno* d'Harry Lachman,** 1935, Fox Film Corporation.

Gustave Doré, précurseur de la bande dessinée et de l'animation

La bande dessinée apparaît en Suisse, au début des années 1830, sous la plume du dessinateur Rodolphe Töpffer, l'un des modèles de Gustave Doré. Elle se diffuse et se démocratise au cours du XIXe siècle dans le monde entier *via* les revues et journaux satiriques.

Parmi les premiers artistes américains ayant contribué à l'ascension fulgurante des dessins animés, il faut citer Walt Disney. En 1923, il fonde avec son frère la société Disney Brothers Studios. Fasciné par l'anthropomorphisme, Walt Disney profite d'un voyage en Europe en 1935 pour constituer une réserve d'images destinées à inspirer la production des studios, en tout plus de trois cents ouvrages dont un grand nombre illustrés par des artistes français du XIXe siècle, comme Jean-Jacques Grandville, Honoré Daumier et Gustave Doré.

Parmi les livres ayant influencé les studios Disney, celui des *Contes* de Perrault illustré par Gustave Doré est probablement l'un des plus significatifs **(fig. 10)**. Il sera utilisé pour la réalisation du premier long métrage de Disney, *Blanche-Neige et les sept nains* (1937), et réutilisé par la suite pour *Cendrillon* (1950) et *La Belle au bois dormant* (1959).

Dans *Blanche-Neige* et *La Belle au bois dormant*, la végétation occupe une place importante et devient un personnage à part entière. Elle inspire la répulsion lorsque Blanche-Neige s'enfuit dans la forêt après avoir failli être assassinée ou engendre l'oppression et la terreur lorsque le prince traverse les ronces qui ceinturent le château où dort sa belle. Cette vision d'une nature quasi vivante et presque humaine rappelle les illustrations de Gustave Doré dans les *Contes* de Perrault, mais aussi dans le *Roland furieux* de l'Arioste. *Le Livre de la jungle* (1967), adaptation du roman de Rudyard Kipling, s'inspire, pour la végétation, des gravures de Gustave Doré illustrant *Atala* de Chateaubriand. À la différence des deux autres productions, la forêt est ici bienveillante[11].

Connu aux États-Unis grâce à l'exposition itinérante de 1892 à 1898, Gustave Doré est devenu l'une des sources principales des studios Disney[12]. Comme lui, Walt

10. Benoît Mendreshora, *Les Aventures du baron de Münchhausen*, dans *Ciné-Bulles*, vol. 8, nº 4, juin-août 1989, Association des cinémas parallèles du Québec, p. 40-41.

11. *Il était une fois Walt Disney. Aux sources de l'art des studios Disney*, 2006, Montréal/Paris, Musée des beaux-Arts de Montréal/Réunion des musées nationaux, p. 104 et 162.

12. Eric Zafran, *Fantasy and Faith*, New York, Dahesh Museum of Art, New Haven et Londres, Yale Univesity Press, 2007, p. 169-174.

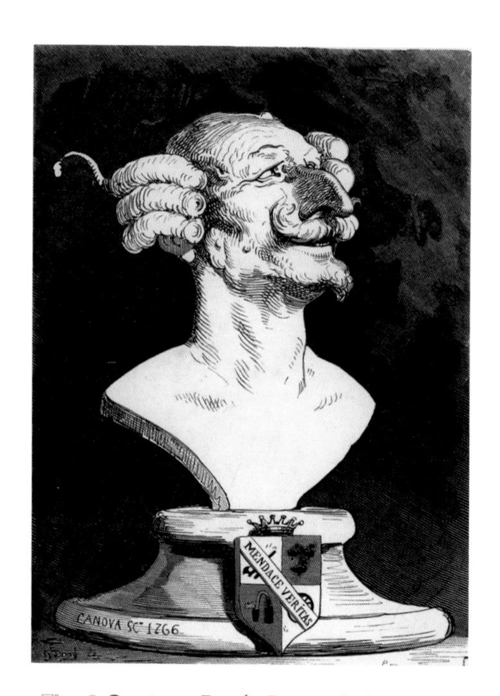

Fig. 9 **Gustave Doré, *Buste du baron de Münchhausen, sculpté dans le marbre par Antonio Canova,* dans *Les Aventures du baron de Münchhausen,*** gravure, 1862, musée du monastère royal de Brou, Bourg-en-Bresse, inv. 981.63.

Disney, fut un travailleur infatigable et son intérêt pour le drame, le comique et le fantastique s'est exprimé dans plus d'une centaine de livres illustrés et dans des milliers de dessins. À l'instar de l'artiste français, il fait dresser en 1943 une liste de tous les chefs-d'œuvre de la littérature mondiale auxquels il pensait un jour donner vie : la Bible, *La Divine Comédie* et *Don Quichotte* en font partie et renvoient curieusement aux ouvrages illustrés par Doré.

En raison d'une démocratisation plus lente de la bande dessinée en Europe, il faudra attendre la seconde moitié du XXe siècle pour que certains artistes français et européens reconnaissent l'influence de Doré sur leur travail. Lors d'une séance de dédicaces au monastère royal de Brou, le dessinateur, peintre et sculpteur Philippe Druillet confessait avoir été grandement influencé par les travaux du maître : « Gustave Doré est un créateur de rêves, ses coups de pinceau sont magiques, son œuvre est musique. Sa force de créativité, la puissance de ses dessins, en font un précurseur. [...] J'ai trouvé dans son œuvre un homme qui dessine mieux que moi, un homme d'édition, de peinture, de sculpture[13]. »

Comme son confrère Mœbius, Druillet se réapproprie les hachures caractéristiques des gravures de Doré. Leurs inclinaisons et leurs variétés permettent de rendre au mieux les volumes par le clair-obscur et de donner vie à l'œuvre. Il reprend également les environnements réalistes de Doré qui fourmillent très souvent de détails et de vie. De plus, Druillet partage un grand nombre de points communs avec Gustave Doré. Lui aussi est autodidacte, travaille à ses débuts dans un célèbre journal (*Pilote)* et devient son propre éditeur pour plus de liberté, en créant la revue *Métal hurlant* et les éditions Les Humanoïdes Associés. Finalement, il diversifie son œuvre à travers différentes pratiques artistiques. À la fois classique et visionnaire, il adapte le *Salammbô* de Flaubert en bande dessinée dans un style futuriste (1978) et déclare au Festival d'Angoulême en février 2012 vouloir faire de même avec *La Divine Comédie* de Dante. Expression artistique en plein essor, la bande dessinée française réadapte de plus en plus des œuvres précédemment illustrées par Gustave Doré : *Les Aventures du baron de Münchhausen, Don Quichotte, Le Capitaine Fracasse* de Théophile Gautier, *Les Compagnons de Jéhu* d'Alexandre Dumas et bien d'autres.

Touche-à-tout, Gustave Doré illustra aussi bien le peuple parisien, bressan ou strasbourgeois que les plus grands chefs-d'œuvre littéraires que sont la Bible ou *La Divine Comédie*. Cette variété de thématiques associée à une prodigieuse capacité de production fournit encore aujourd'hui un large éventail d'inspiration pour tous les artistes. La multiplication des moyens d'expression a permis de réinventer son univers visuel et il n'est pas rare de constater son influence dans les films d'animation en images de synthèse, les jeux vidéo ou encore dans certains mangas. Preuve, s'il en est, que son art est devenu planétaire et multiculturel. L'œuvre de Doré joue constamment sur l'ambivalence, le populaire côtoyant le savant, le comique, le dramatique ; en cela, elle est universelle et désormais intemporelle.

13. « Philippe Druillet sur les pas de Doré », dans *Le Progrès*, 2 novembre 1994, p. 10.

Fig. 10 **Gustave Doré, *Le Petit Chaperon rouge,***
huile sur toile, 65 x 82 cm, 1862,
signé en bas à droite : *Gve doré*, National Gallery of Victoria, Melbourne, inv. 1060-5.

Catalogue

Vie

1

Miroir

Vers 1877
Bronze doré
103 x 63 x 29 cm
Bourg-en-Bresse, musée du monastère royal de Brou
Inv. 972.16
Signé en bas à droite : *Gve Doré*

Gustave Doré s'adonne à de nombreuses techniques au cours de sa vie. La dernière qu'il aborde est la sculpture. En dehors des Salons, il réalise quelques objets appartenant au domaine des arts décoratifs, dont ce miroir.

Celui-ci est composé d'une glace ovale s'inscrivant dans un cadre rectangulaire dont la base est agrémentée d'une corniche à frise ionique. L'ensemble est couronné d'une draperie tombante, aux plis lourds et complexes. Cinq putti, à ailes d'oiseau ou de libellule, la soulèvent comme pour dévoiler le miroir. Deux autres putti sont assis au sommet. Tous sont inspirés des décors à Amours de style Louis XVI et préfigurent la décoration foisonnante de la plus imposante sculpture de Gustave Doré, présentée à l'Exposition universelle de Paris en 1878 et intitulée *Le Poème de la vigne*.

Ce miroir a été réalisé en double exemplaire, dont l'un fut acheté par la tsarine Maria Féodorovna. J P

2

Carolus-Duran (1837-1917)

Portrait de Gustave Doré

1877
Huile sur toile
55,5 x 46,5 cm
Strasbourg, musée d'Art moderne et contemporain
Inv. 55.974.0.630 ; 1523
Signé, annoté et daté en haut : *Carolus-Duran 1877 / A mon ami Gustave Doré*

Ce portrait de Gustave Doré a été réalisé d'après une photographie prise en 1877 le représentant dans son atelier, assis sur un échafaudage, lors de la réalisation du tableau monumental *Ecce homo* (Salon de 1878). Le peintre pose devant l'appareil photo et exhibe fièrement sa palette et ses pinceaux. Tel un Michel-Ange, Gustave Doré ne descend pas de sa plate-forme et semble vouloir nous dire que son œuvre n'attend pas. En effet, le peintre demeurait de seize à dix-huit heures par jour dans son atelier, juché sur une échelle ou des tréteaux.

Toutefois, sous cet aspect volontaire, Gustave Doré est moralement et physiquement affaibli, comme le prouve une lettre adressée à son biographe René Delorme le 11 juin 1876[1].

Charles Émile Auguste Durand (dit Carolus-Duran) en tant que portraitiste et ami de Doré fera ce portrait. Notons qu'étant incompris dans sa peinture, Gustave Doré parle dans sa lettre d'une nouvelle carrière, celle de sculpteur, qu'il débute au Salon de 1877 en exposant *La Parque et l'Amour* (cat. 72). Malheureusement pour lui, cette voie ne connaîtra pas non plus le succès escompté. J P

1. Lettre de G. Doré à R. Delorme, Paris, INHA, 11 juin 1876, collections Jacques Doucet, Ms 87.

Portrait de Monsieur Doré, père

1849
Huile sur toile
27 x 21,5 cm
Bourg-en-Bresse, musée du monastère royal de Brou
Inv. 974.7
Non signé, non daté

Après avoir signé le contrat d'exclusivité entre son fils et l'éditeur Charles Philipon, Pierre-Louis Christophe Doré postule pour la direction d'un service d'irrigation en cours de formation à Paris, afin de réunir toute sa famille. Malheureusement, les événements de 1848 empêchent le projet de se réaliser et l'homme meurt subitement le 4 mai 1849 d'une hydropisie de poitrine. De tristesse, le jeune Gustave Doré ne vient plus travailler au *Journal pour rire* pendant plus d'un mois, préférant peindre, de mémoire, le portrait de son père.

Dans celui-ci, M. Doré nous apparaît âgé d'une cinquantaine d'années, le regard vif, les cheveux noirs ramenés en arrière, et nous fait immanquablement penser à son fils. Cette ressemblance quelque peu volontaire témoigne de l'attachement profond d'un fils pour son père.

En effet, depuis son plus jeune âge, Gustave Doré fait l'admiration de sa mère mais c'est son père qui lui permet de débuter réellement sa carrière : tout d'abord par l'éducation classique qu'il lui imposa, puis en l'accompagnant chez un imprimeur de Bourg-en-Bresse, afin de publier l'un de ses premiers dessins, intitulé *La Vogue de Brou* (cat. 8), et finalement en signant son premier contrat professionnel. Après la mort de celui-ci, Gustave Doré, alors âgé de seulement dix-sept ans, fera venir sa famille à Paris, pourvoira à ses besoins, notamment aux études de ses deux frères, et deviendra par la force des choses la nouvelle image patriarcale. J P

Étienne Carjat (1828-1906)
Gustave Doré

1863
Lithographie
48,7 x 33,7 cm
Bourg-en-Bresse, musée du monastère royal de Brou
Inv. 963.86
Signé en bas à droite : *Et. Carjat. Lith. Destouches Paris*

Cette caricature d'Étienne Carjat, également journaliste et photographe, natif de Fareins (Ain), est publiée dans *Le Boulevard* du 1er février 1863 (nº 5). Il avait fondé ce journal en 1861[1], qui ouvrit ses pages aux artistes de l'époque. Carjat y croque les portraits charges des hommes célèbres de son temps, dont ses homologues caricaturistes, tels Daumier ou Doré. Ce dernier est ici représenté avant tout comme peintre et graveur : il tient d'une main une palette et des pinceaux et de l'autre un burin, attributs disproportionnés, comme sa tête énorme. Les livres en arrière-plan évoquent aussi son travail d'illustrateur. M B-P

1. Elizabeth Fallaize, *Étienne Carjat and « Le Boulevard » (1861-1863)*, Genève, 1987.

Philippe-Auguste Cattelain (1838-1893)
Gustave Doré

1868
Lithographie couleur
35,5 x 31,5 cm
Bourg-en-Bresse, musée du monastère royal de Brou
Inv. 963.87
Signé en bas à droite : *P. Cattelain*

C'est dans *Le Hanneton illustré, satirique et littéraire* du 13 février 1868 (nº 7) que paraît cette caricature de Doré, une des premières de Cattelain, qui avait commencé à travailler pour le journal en janvier 1868. Doré est représenté avec ses attributs traditionnels – palette de peintre et burin de graveur – mais Cattelain l'imagine grimpant à un mât de cocagne, double allusion à ses talents d'acrobate et… à ses revenus confortables. M B-P

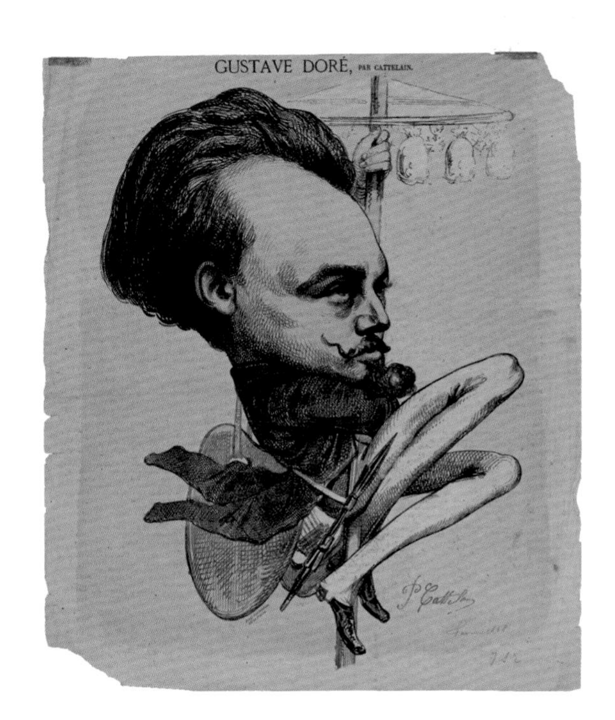

André Gill (1840-1885)

Gustave Doré

1868
Lithographie couleur
49 x 34 cm
Bourg-en-Bresse, musée du monastère royal de Brou
Inv. 963.88

André Gill, célèbre caricaturiste du Second Empire, était également chansonnier à Montmartre, au Lapin à Gill (qui deviendra le Lapin agile) et appartenait au Cercle des Zutistes[1]. Il ironise sur la productivité de Doré, qui dessine et peint « au kilomètre », ainsi que sur les revenus qu'il tire de son activité, considérée comme trop commerciale par ses détracteurs. M B-P

1. Exposition virtuelle du Centre de recherches en histoire du XIXe siècle de l'université Paris I (http://crhxixe.univ-paris1.fr/spip.php?article332 & var_mode = calcul).

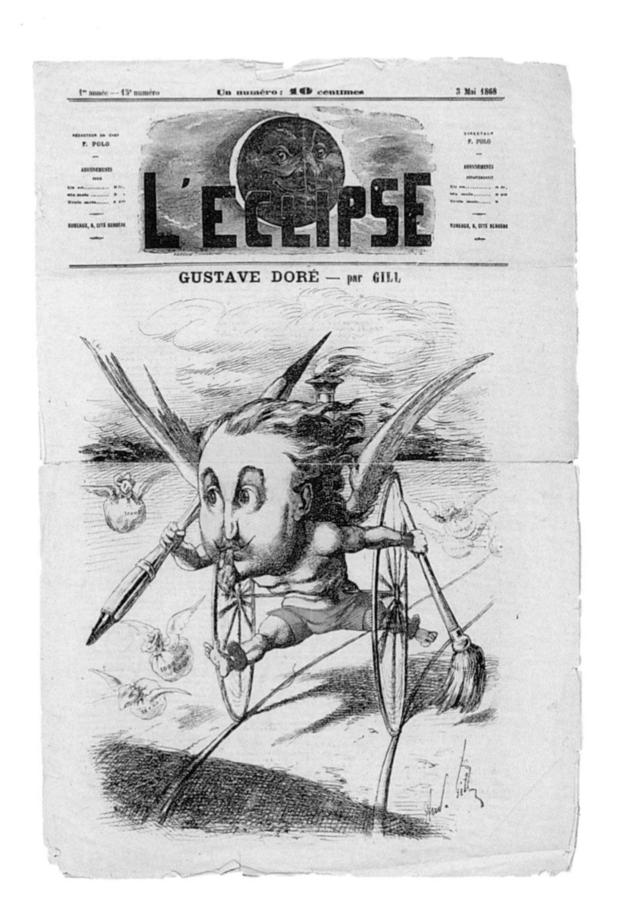

La Mythologie ou les Aventures de Jupiter

(chapitre X, « Portrait de Jupiter »)
1841
Plume et encre noire sur papier (une feuille illustrée recto verso)
35,5 x 22,5 cm
Bourg-en-Bresse, musée du monastère royal de Brou
Inv. 963.77

Les Aventures de Mistenflûte et de Mirliflor

vers 1841-1843
Plume et encre noire sur papier (16 pages, dont 13 illustrées)
11 x 9 cm
Bourg-en-Bresse, musée du monastère royal de Brou
Inv 963.76

Le talent de Doré fut extrêmement précoce. Ces deux manuscrits font partie des premiers conservés de sa main (cat. expo Strasbourg 1983, nos 1, 2 et 3). De son album mythologique réalisé à l'âge de neuf ans, il ne reste que cette feuille. Sur la page conservée, l'écolier raconte et illustre l'histoire de Jupiter. Il dessine « l'arme défensive » de Zeus, le bouclier protecteur, revêtu de la peau de la chèvre Amalthée (qui l'avait allaité), donnée ensuite à Minerve. Il mentionne aussi Périphas, prince athénien transformé en aigle par le dieu courroucé. Blanche Roosevelt reproduit trois des figures de Jupiter, l'une datée de 1841, une autre de 1843, la dernière sans date (Roosevelt 1887, p. 43, 45 et 49).

L'amusante histoire de deux pauvres hères, Mistenflûte et Mirliflor, entièrement conservée celle-ci, fut de même écrite et illustrée par le jeune Doré, que ce soit à Strasbourg (Poiret 1995, no 2) ou à Bourg-en-Bresse (Baudson 1963, p. 6). M B-P

La Vogue de Brou

1844
Plume, encre noire et encre brune sur papier
33,1 × 49,7 cm
Bourg-en-Bresse, musée du monastère royal de Brou
Inv. 963.75
Signé en bas à gauche : *dessiné par Gustave Doré 1844*

C'est chez l'imprimeur Ceyzériat à Bourg-en-Bresse que le jeune Doré a fait éditer ses premières lithographies en 1845 : *La Vogue de Brou*, *La Martinoire du Bastion*, *à Bourg* (Bourg-en-Bresse, musée du monastère royal de Brou. Inv. 945.1) et *La Noce* (**cat. 9**).

Doré apprend à Bourg à observer son environnement et croque les Bressans avec beaucoup d'humour, exagérant les traits des visages comme des attitudes et des costumes. Dans *La Vogue* – c'est-à-dire la foire en patois bressan – Doré utilise encore les figures animales dans l'esprit de Grandville (voir aussi **cat. 10**). L'animation populaire rappelle aussi les kermesses des Bruegel. La composition a été déclinée avec des variations en 1847 sur un dessin plus grand et plus réaliste[1]. M B-P

1. Cat. expo Strasbourg 1983, n°s 6 et 9 ; Strasbourg, cabinet des Estampes.

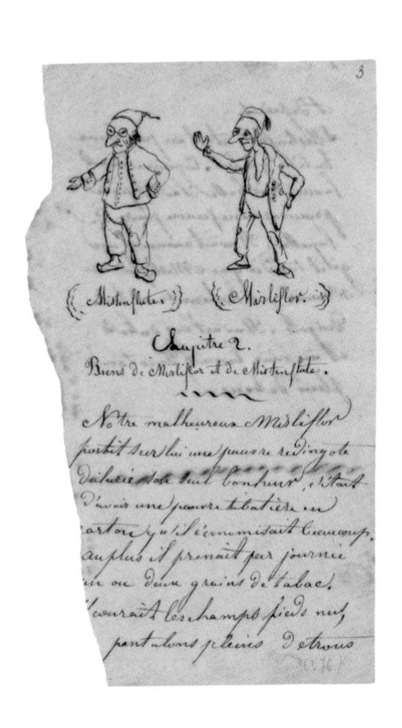

La Noce

1845
Plume, encre noire et aquarelle
23,5 x 37,3 cm
Collection particulière
Signé en bas à gauche : *G. Doré / fait à Bourg-en-Bresse / septembre 1845*

Ce dessin fut lithographié sous le titre *La Noce* (Bourg-en-Bresse, musée du monastère royal de Brou. Inv. 963.69) : on y voit un cortège pittoresque de Bressans se rendant à un mariage. Cette œuvre, exposée à Paris en 1932 comme en atteste l'étiquette au revers (nº 16, considérée comme une lithographie), ne porte cependant aucun titre. Un dessin identique à celui-ci avait été acheté en 1931 par le musée des Beaux-Arts de Strasbourg (cat. expo Strasbourg 1983, nº 8). M B-P

10

Inauguration de la statue de Bichat

1845
Encre noire sur papier
33 x 51 cm
Bourg-en-Bresse, musée du monastère royal de Brou, dépôt d'une collection particulière
Inscription sur le piédestal de la statue : *A Xavier Bichat 1843 / BICHAT VIENT DE MOURIR A L'AGE DE 30 ANS. Il est tombé sur un champ de bataille qui veut aussi du courage et qui compte bien des victimes.*
En bas à droite : *1222*
Sur les enseignes : *JULIEN sert à boire et à manger et loge à pied ; AU BASTION LOUVET AUBERGISTE*

Ce foisonnant dessin, exposé pour la dernière fois en 1932 au Petit Palais (n° 53), est une redécouverte. Le dos du carton porte cette légende : « Dessin de Gustave Doré (1845) à propos de l'inauguration de la statue de Bichat à Bourg (1843) (v : Valmy-Besse : *Gustave Doré*, p. 40 et le livre de Roosevelt). Ce dessin appartenait à Madame Michel-Doré. Mme Jouaust, sa fille, l'a donné en 1937 au Pr Lenormant qui aussitôt lui en a fait don pour la maison de Thoirette. » Gustave Doré, âgé de onze ans, était arrivé à Bourg à l'été 1843 : il y assiste alors à l'inauguration solennelle de la statue de Bichat (1771-1802)[1]. Doré dessine une foule d'animaux divers, habillés en Bressans ou en notables, rassemblés autour d'un orchestre et d'une statue parodique de celle de David d'Angers : Bichat et l'enfant qu'il soigne sont devenus un renard et un chien ! Doré reprend pourtant une partie de la véritable inscription du monument, extraite d'une lettre de Corvisart à Napoléon Ier, qui rappelle la mort précoce de ce prodige de la médecine et dépare avec la dérision du reste de la composition. M B-P

1. Voir au sujet de Bichat dans l'Ain : www.portraits-monuments-ain.fr/pages/fiche_bichat.html et *Inauguration de la statue de Xavier Bichat à Bourg, le 24 août 1843*, Bourg-en-Bresse, 1844.

11

Le Retour du marché

1844 ou 1845
Aquarelle, plume, encre noire sur papier
22 x 32 cm
Bourg-en-Bresse, musée du monastère royal de Brou.
Inv. 963.74
Signé en bas à gauche : *Gustave Doré*
Inscription au bas du dessin : *Bressans*

Cette aquarelle est à rapprocher des n°s 8, 9 et 10 du catalogue. Doré caricature les Bressans, affublés d'énormes chapeaux. Il a réalisé de nombreux croquis au marché de Bourg-en-Bresse, qui était ancien et important. On retrouve sur les cat. 9 et 11 le même homme dégingandé, aux cheveux frisés, type physique qui avait dû marquer le jeune artiste et peut-être inspiré d'un personnage existant (Cat. expo Bourg-en-Bresse 1863, p. 73 et suivantes). M B-P

12 *Palette de Gustave Doré*

Bois et peinture à l'huile
19,5 x 29,5 cm
Bourg-en-Bresse, musée du monastère royal de Brou
Inv. 974.8

Les musées de Bourg-en-Bresse et Strasbourg ont acquis un grand nombre d'œuvres de Doré auprès de Mme Boisnard. Celle-ci adressait le 26 février 1974 un courrier à Françoise Baudson, conservateur du musée de l'Ain à Bourg-en-Bresse, pour lui signaler qu'elle était prête à vendre deux palettes de Gustave Doré, héritées de sa mère Mme Michel-Doré exposées au Petit Palais en 1932 (n° 463).

Cette palette a une forme ovoïde classique, percée d'un trou pour la tenir avec le pouce. Accessoire emblématique du peintre, la palette en dit généralement long sur sa personnalité, sa manière de travailler (palettes pliantes pour les paysagistes de plein air par exemple) et sa gamme de couleurs (Rembrandt, Moreau…)[1]. Les palettes deviennent reliques, sacralisées. Certains artistes, comme Eugène Carrière (1849-1906), vont même jusqu'à y peindre une composition (musée d'Orsay, RF 1983-1990). Mais cette palette de Doré semble avoir assez peu servi : elle porte quelques traces de mélanges de bleu et de jaune. Elle témoigne d'une gamme chromatique assez réduite et froide.

On sait peu de choses sur la technique de Gustave Doré : on ignore par exemple où il achetait son matériel, car ses biographes éludent la question de la matérialité de ses œuvres. Des analyses scientifiques apporteraient sans doute des réponses à ces questions. L'examen visuel et les travaux de restaurateurs permettent toutefois de comprendre comment Doré travaillait[2]. Il peignait généralement sur une toile de lin, préparée avec une première couche blanche, elle-même recouverte d'une sous-couche brune, appliquée à la brosse. Selon les zones et / ou les œuvres, il créait des empâtements ou des couches plus fines (glacis) pour accentuer les effets de clair-obscur, qu'il affectionnait. Des touches de couleurs vives étaient souvent ajoutées à des compositions aux tonalités générales très sombres. La technique et le style de Doré se caractérisent par une grande variété.

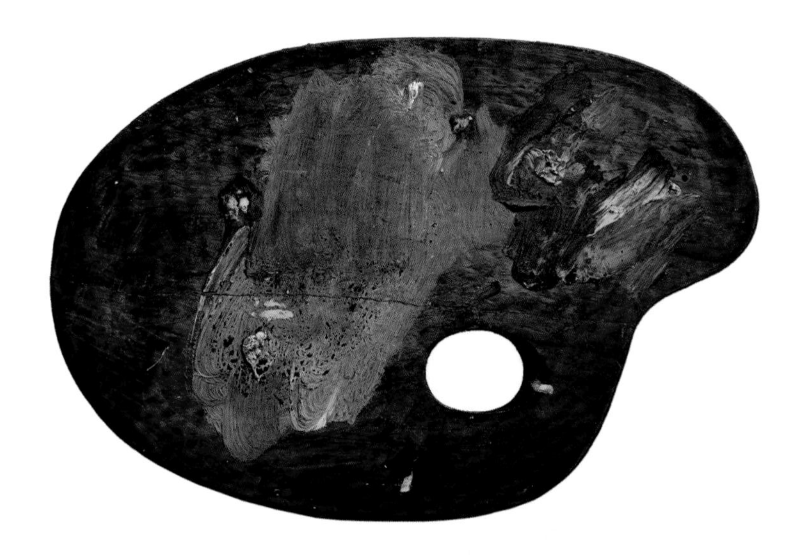

On reprochait à la peinture de Doré son manque de fini, son caractère d'esquisse et « d'agrandissement de vignette », impression sans doute renforcée par son utilisation de la brosse et de la technique de l'essuyage. Edmond About déclara ainsi au sujet de *La Bataille d'Inkermann* : « Son tableau est un chef-d'œuvre auquel il ne manque que d'être fait. » De même, on n'appréciait guère qu'il fût autodidacte, même s'il avait fréquenté l'atelier de Henry Scheffer et suivi les cours de M. Dupuis[3]. M B-P

1. Voir http://blogs.telegraph.co.uk/culture/lucydavies/100007607/why-preserve-van-goghs-palette/
2. Dossiers du monastère royal de Brou et http://museefabre.montpellier-agglo.com/pdf.php/?filePath=var/storage/original/application/bd6510cd13e074e6031bd909b016d801
3. Nadine Lehni, « Gustave Doré, peintre », in cat. expo Strasbourg 1983, p. 53.

13 *Textes manuscrits*

a) *Le Docteur et les Nymphes ou le Fameux Robin. Ballade* (s.d.)

b) *Le Lit et le Fauteuil ou le Mystère de l'Incarnation* (s.d.)

c) *Les Fleurs desséchées. Élégie au docteur Robin* (s.d.)

d) *Lettre du concierge du nº 58 rue Jacob à Mr. le Procureur général* (1869)

Plume et encre noire sur papier
36 x 23,7 cm pour le a (3 pages)
27 x 21 cm pour le b (14 pages), le c (4 pages) et le d (9 pages)
Bourg-en-Bresse, musée du monastère royal de Brou
Inv. 972.18 a, b et c

Ces manuscrits ont été achetés à Mme Jeanine Boisnard, petite-nièce de Gustave Doré. Ils traitent tous de Charles Robin (1821-1885), ami d'enfance de Gustave Doré : ce sont ses parents qui lui ont offert sa première boîte de peinture, alors qu'il séjournait chez eux à Jasseron (Ain). Robin retrouve Doré à Paris et devient son médecin personnel, ainsi que celui de Michelet, Mérimée, des frères Goncourt, de Flaubert… Il fréquente les soirées organisées par Doré, où il côtoie les figures de la vie parisienne[1]. On ne devait pas s'y ennuyer, comme le montrent ces poèmes parodiques.

Les deux premiers poèmes (a et b) étaient considérés par l'inventaire du musée et par Maurice Genty comme ayant été rédigés par Gustave Doré à l'occasion de la nomination de Robin à l'Institut en 1866. Ils lui appartenaient sans doute, et témoignent du plaisir que Doré prenait en compagnie de ses amis. Mais un examen attentif permet en fait de les attribuer plus probablement au Dr Georges Camuset (1840-1885), ophtalmologue qui faisait partie du cercle de bons vivants de Robin et Doré. Outre des textes médicaux, Georges Camuset avait publié, anonymement, des sonnets gaillards en 1884.

Dans le premier poème en alexandrins (a), l'auteur n'hésite pas ainsi à écrire : « En fouillant le passé, je ne vois foutre pas / Qui, de tous les docteurs, a fait de si grands pas » ou encore : « Clydamante est jalouse et la belle Cypris / sur le bord des étangs jouant dans les iris / sort de l'onde et s'élance, complètement nue / pour fêter de Robin l'aimable bienvenue / Clytandre chez madame accourt à l'envie / inciter du docteur l'ardente fantaisie / Bientôt des profondeurs du bocage sacré / divinités des bois, dryades, hamadryades, viennent chercher leur part de cette rigolade. » Il s'ensuit des vers décrivant une véritable bacchanale, convoquant en particulier le dieu Priape… Le poème se termine par un petit croquis (de Doré ?) montrant Robin déifié, entouré de femmes grasses et nues, tandis qu'un amour voletant bande son arc (reproduit dans Genty 1927, p. 92).

Le deuxième texte (b), « féérie-poème en trois chants », poursuit toujours sur le thème des prouesses sexuelles de Robin. Il est composé d'un « prologue sur la terre, un dialogue sur la terre, un épilogue à l'Institut des sciences naturelles et un épilogue dans la merde / et une épigraphe de madame de Genlis ». Il débute par cet hommage : « Aux femmes hystériques il donne leur pâture / et sa bonté s'étend sur toute la nature. » Il met en scène irrévérencieusement « Le Verbe », son fils bien-aimé Jésus-Christ et le Saint-Esprit, conduits par « M. Jules Cohen », qui évoquent les charmes d'Ève, et les conquêtes féminines de Robin, débattant de la gravité de ses fautes… L'auteur fait par exemple dire au Verbe : « Je connais ton Robin, il n'est pas bien sérieux / et tous ces vains exploits ne sont rien à mes yeux / il est un peu cochon c'est là ce qui le sauve / et pour quelques succès usurpés dans l'alcôve / ce n'est pas ce qui fait un lapin devant Dieu. » Il évoque les beuveries et orgies chez Kratz (voir *infra*). Au milieu du poème, il est question de Doré, qui « embrasse le docteur en versant des larmes ; Robin ému jusqu'aux pleurs court chez Kratz lui demander s'il ne voudrait pas nous payer un petit souper… ». Avant le dernier épilogue, une parodie de prière correspond de même peu à l'esprit de Doré, qui était assez pieux. À la fin, le corps du Dr Robin est retrouvé dans la Seine, rongé de vers que l'auteur fait parler : « Assez de faux amis auront chanté ta vue pour qu'à mon tour je puisse chanter ta mort […]. J'avoue, foi d'asticot ! Que je ne voudrais pas ronger pour tout au monde / celui qui glorifia nos espèces immondes… »

Seul le troisième poème (c) est signé « GD », aux Sables d'Olonne, le 24 janvier 1844, avec sur la page d'adresse « Paris, 24 janvier 1844, Monseigneur ». Brodant toujours sur le thème des conquêtes féminines de Robin, il offre un ton toutefois moins libertin : « Robin ! Robin ! Robin ! Qu'allons-nous devenir ? / Toi qui semblais jadis assurer le bonheur à ces tendres brebis / qui t'engageaient leur cœur / Tu vas causer des pleurs qui ne sauraient tarir ! » Un peu plus loin, le poème cite « l'oncle Gustave » : « Dieu lui donna aussi cette énorme puissance / ce don de mélanger le puissant au suave / et cet art de briser les aimables entraves. »

À cet ensemble de manuscrits, il faut ajouter une lettre, non inventoriée jusque-là, rédigée sur du papier à en-tête « G.C. 25 quai Voltaire » et adressée pour « copie conforme » au Dr Camuset (d). Dans ce texte fort drôle, le concierge de Kratz, « Alsacien, soi-disant lampiste du Conseil d'État, effectivement professeur de soûlographie comparée », écrit au procureur « avant de quitter la terre pour le paradis des fidèles concierges », pour décrire les saturnales dont s'est rendue coupable la joyeuse bande d'amis (« quelques mortels indignes de ce nom » ; « neuf individus de bonne mine et d'ailleurs suspecte ») le 22 décembre 1862, sept ans avant la rédaction du courrier.

Il cite les noms de Charles Robin, dit la Terreur des boudoirs, Gustave Doré, dit l'Homme des bois (à graver), Gerspach, dit l'Espoir des ministères, Maurice Richard, dit l'Aimable propriétaire, dit encore le Scandale du notariat, Georges Camuset, dit le Carabin des salons, le docteur Milon, dit Ouistiti corrompu, Bourgeois 1er, dit le Triangle équilatéral, Bourgeois 2e, dit le Frère à son frère, et enfin Kratz bien entendu, « âme du complot ». Ceux-ci, « en proie à une gaieté folle », font ripaille avec de la charcuterie, des homards, des fruits exotiques, etc., fumant, buvant en compagnie de belles femmes du tiers état (Hélène, Thérèse, Césarine) et de la noblesse (Julie d'Artigner), avant de se déshabiller. « Gustave, la tête en bas, époussetait le plafond avec les semelles de ses bottes… »

Avec Charles Robin, Arthur Kratz fut l'un des plus fidèles amis de Doré. Bien des années après leurs excès de jeunesse, ils le soutinrent dans les moments difficiles, en particulier lorsque après le décès de sa mère, Doré avait perdu sa joie de vivre[2]. M B-P

1. Genty 1927.
2. Roosevelt 1887, p. 344-347.

14 ***Le Concert*, dit aussi *La Symphonie fantastique* ou *Scène du Tyrol***

Vers 1861
Plume, encre noire, crayon et gouache sur papier bleu
67 x 50,5 cm
Dijon, musée des Beaux-Arts.
Inv. DG 705
Signé et dédicacé en bas à gauche : *à l'ami Marcelin / G Doré*

Doré se rendit avec Paul Dalloz au Tyrol durant l'été 1861. Là, ils se trouvaient dans une auberge locale quand Doré, bon musicien, se saisit d'un violon et en joua toute la nuit[1]. L'intérieur du cabaret et les costumes hongrois montrent que Doré s'est inspiré de cet événement, même s'il l'a transcendé, en le restituant dans une atmosphère fantastique (cat. expo Strasbourg 1983, n° 25). Doré a réalisé d'autres dessins sur le thème du violoniste, inspirés des *Contes* d'Hoffmann, qu'il projetait d'illustrer (cat. expo Strasbourg 1983, n°s 26 et 27). Le dessin est dédicacé à Marcelin, collègue de Doré au *Journal pour rire*. M B-P

1. Roosevelt 1887, p. 230.

15 *Portrait de Charles Philipon*

Vers 1850
Huile sur toile
75 x 52 cm
Paris, musée Carnavalet.
Inv. P1514
Signé en bas à gauche : *Gve Doré*

Né à Lyon, Charles Philipon (1800-1862) s'installe à Paris en 1823. Il fonde la Maison Aubert en 1829. En tant que dessinateur et auteur de la célèbre caricature de Louis-Philippe en poire, il se fait rapidement un nom dans le milieu de l'édition. Encouragé par son succès, il crée en 1830 le journal illustré *La Caricature* puis *Le Charivari* en 1832. En 1848, il fonde un troisième périodique, *Le Journal pour rire*, qui lui survivra jusqu'en 1872. Avec l'aide de ses collaborateurs, Cham, Daumier, Gavarni, Grandville et Nadar, pour citer les plus connus, Philipon démocratisera la satire, le goût du dessin et la bande dessinée alors naissante.

Profitant d'un voyage à Paris en 1847, Gustave Doré, âgé de quinze ans, se présente à Philipon, créateur de nombreux journaux et de petits albums comiques dans lesquels l'adolescent puise son inspiration. À la vue des dessins, le directeur demande à négocier avec le père du garçon. Le contrat, signé au bout de six mois, stipule que Philipon aura l'exclusivité des dessins du jeune Gustave pendant trois ans et que celui-ci aura, au minimum, un dessin publié chaque semaine dans *Le Journal pour rire*. Gustave Doré doit également s'installer à Paris et poursuivre ses études au lycée Charlemagne.

Charles Philipon fait rapidement paraître l'album *Les Travaux d'Hercule* en précisant au public que ces lithographies sont réalisées par un artiste de quinze ans, qui a appris le dessin sans maître, et sans faire d'études classiques. À cette lecture, Gustave Doré sera quelque peu déçu, mais toujours reconnaissant envers Philipon, et l'invitera régulièrement chez lui, en tant qu'ami.

Le portrait n'est pas un genre qu'affectionne Gustave Doré : il le réserve à sa famille ou à ses amis. Ainsi, cette œuvre de jeunesse prend tout son sens, puisqu'il faut voir, sous les traits de l'éditeur Philipon, le substitut du père que vient de perdre le jeune peintre, un an auparavant. J P

Paysages

16 *Le Soir sur les bords du Rhin*

Huile sur toile
123 x 196 cm
Montpellier, musée Fabre
Inv. 868.1.45
Signé en bas à droite : *Gv Doré*

Gustave Doré, accompagné de ses deux frères et de sa mère, quitte à contrecœur l'Alsace en 1843 pour rejoindre son père, récemment installé à Bourg-en-Bresse. Le jeune garçon de onze ans gagnera Paris quatre ans plus tard pour ne revenir dans sa région natale qu'en 1853. Il retrouve Strasbourg mais aussi Phalsbourg, où il va voir sa tante Eugénie, la sœur de son père.

Nostalgique, Gustave Doré n'a pas oublié ses origines ; il a d'ailleurs réalisé en 1851 une courte histoire intitulée *Voyage sur les bords du Rhin*, parue dans *Le Journal pour rire*[1].

Un récit narré à la première personne, sur le mode des « impressions de voyage » qui caractérisera aussi l'un de ses plus grands succès, l'album *Des-agréments d'un voyage d'agrément* publié la même année.

Comme dans certains de ses paysages de montagnes, Gustave Doré représente la cime des arbres se détachant sur le ciel. Le soir naissant confère un éclat rougeoyant à la nature et provoque de magnifiques reflets à la surface de l'eau. Au premier plan, une cigogne, oiseau emblématique de l'Alsace, vient chasser sur les bords du Rhin. Le fait qu'il s'agisse d'une cigogne noire et non d'une cigogne blanche peut nous faire penser à une forme d'autoportrait. En effet, la cigogne noire ne niche pas en Alsace, mais la traverse en période de migration.

Peut-être le peintre s'identifie-t-il à cet oiseau à la fois fidèle et grand voyageur ? J P

1. D'abord intitulé *Voyage en Allemagne* (nº 170), le récit se poursuit sous le titre *Voyage sur le Rhin* (nº 171) et s'achève comme *Voyage sur les bords du Rhin* (nº 175).

17 ***Souvenir des Alpes***

Avant 1857
Huile sur toile
195 x 131 cm
Montpellier, musée Fabre
Inv. 868.1.46
Signé en bas à droite : *Gve Doré*

Au Salon de 1852, Gustave Doré expose une œuvre intitulée *Souvenir des Alpes*. Toutefois, faute d'image, il est impossible d'affirmer qu'il s'agit bien de cette œuvre. Celle-ci fut léguée en 1868 par le collectionneur Alfred Bruyas, originaire de Montpellier et mécène de Gustave Courbet. Une lettre de Gustave Doré atteste de la relation qui existait entre lui et Bruyas :

> « Monsieur,
> J'aurai l'honneur de vous envoyer un de ces trois matins le tableau que vous me demandez pour joindre à votre belle et nombreuse collection d'œuvres modernes[1]. »
> En l'absence de plus d'informations, il est difficile de savoir si Gustave Doré parle du tableau *Souvenir des Alpes*. Toutefois, nous pouvons supposer que l'achat de cette toile fut influencé par Courbet lui-même qui reconnaissait en Doré un artiste de talent, déclarant : « Il n'y a que lui et moi [...]. C'est le seul de ces dessineux qui soit quelqu'un, N... de D... Il a du sang dans les veines savez-vous bien[2] ? »

En 1853, Gustave Doré voyage en Suisse, puis dans les Alpes en 1860. Ce tableau peut aisément se rapporter à cette période où le peintre multiplie les excursions, seul ou accompagné. *Souvenir des Alpes* se démarque des autres paysages montagneux de Doré par une composition plus recherchée. À droite, des arbres se dressent de toute leur hauteur et accentuent la verticalité du paysage. La partie gauche, quant à elle, se complète avec le torrent et les rochers du premier plan en nous faisant découvrir une cascade et des oiseaux, tandis que l'horizon dévoile une superbe montagne enneigée. Le peintre joue avec la lumière et définit ainsi trois zones bien distinctes. J P

1. Pierre Borel, *Le Roman de Gustave Courbet*, Paris, 1922, p. 29-30, cité par Philippe Kaenel 1995.
2. Marc de Valleyres, « Ma semaine », dans *L'Écho de Paris*, 24 mars 1884, p. 2.

18 *Vue des environs de Plombières*

1875
Aquarelle sur papier
52 x 36 cm
Bourg-en-Bresse, musée du monastère royal de Brou
Inv. 981.27
Signé et daté en bas à droite : *G Doré, Plombières 1875*

Le séjour de Doré dans les Vosges en 1875 donne lieu à de nombreuses aquarelles[1]. Il perfectionne cette technique en Écosse en 1873, influencé par les maîtres britanniques. Plombières était une ville thermale prisée au XIXe siècle. Napoléon III y signa un traité le 21 juillet 1858, par lequel Cavour promit de restituer Nice et la Savoie à la France. Mais c'est un paysage très sauvage que dépeint Doré, partageant comme souvent sa composition en deux parties fortement contrastées, la vallée obscure au premier plan, et les montagnes enneigées à l'arrière-plan. M B-P

1. Cat. expo Strasbourg 1983, nos 142, 143 et 144).

19 *Berger gardant son troupeau*

Entre 1870 et 1883
Aquarelle sur papier
47,5 x 38 cm
Dijon, musée des Beaux-Arts
Inv. DG 860-110
Signé en bas à gauche : *G. Doré*

Cette aquarelle a été identifiée avec celle de mêmes dimensions, exposée au Cercle de la librairie en 1885 (n° 5), sous le titre de *Pâtre conduisant des chèvres (Écosse).* Rien ne permet de confirmer cette hypothèse écossaise, d'autant que le berger représenté ici est juché sur des échasses, ce qui suggérerait plutôt un environnement landais. Quoi qu'il en soit, on retrouve dans la composition un des thèmes de prédilection de Doré : des figures au pied de grands arbres droits et serrés, aux racines profondes et noueuses – archétype de la forêt romantique en somme. M B-P

20 *Ramasseuses de fagots au bord du lac de Genève*

Aquarelle et mine de plomb sur papier fort
55,4 x 43,2 cm
Chamonix, Musée alpin
Inv. 2011.8.1
Cachet de l'atelier Doré en bas à droite : *Gve Doré*

Le travail, qu'il soit aux champs ou en forêt, est un sujet fréquent en histoire de l'art. Le ramassage des fagots en fait partie. Beaucoup d'artistes l'ont représenté : Jean-François Millet, Paul Huet, Díaz de la Peña… Gustave Doré réalise, de même, dans ses jeunes années plusieurs gravures représentant le travail forestier des bûcherons ou des schlitteurs en Alsace.

Dans cette aquarelle, il fait preuve de beaucoup de technicité : il utilise avec intelligence les réserves de blanc et parvient à rendre l'œuvre très lumineuse. Par son sujet, elle fait penser au dessin *La Chute des feuilles* (Strasbourg, musée d'Art moderne et contemporain, inv. 77.985.0.2106) représentant un père frappé d'un malaise alors qu'il ramasse des fagots avec sa fille. En effet, dans les deux productions, le rendu des branches d'arbres est très similaire.

Comme Turner, Doré maîtrise la transparence de la touche, ce qui fait de lui un très bon aquarelliste, apprécié des Anglo-Saxons. D'ailleurs, il exposera ses aquarelles à la Société des aquarellistes français de 1879 jusqu'à sa mort. J P

21

Paysage montagneux

Vers 1875
Huile sur toile
194 x 130 cm
Bourg-en-Bresse, musée du monastère royal de Brou
Inv. 978.19
Signé en bas à droite : *Gve Doré*

Bien qu'étant de format vertical et de grandes dimensions, cette œuvre apparaît comme l'antithèse d'un grand nombre de paysages de Gustave Doré. D'ordinaire enclin à évoquer l'immensité, le peintre choisit cette fois-ci de représenter une rivière profondément encaissée entre de hauts sommets où l'ombre et la brume dominent.

Le spectateur se sent oppressé et la vision de corbeaux venus se repaître d'un animal ayant chuté, accentue cette sensation de malaise. La montagne n'est plus un lieu d'émerveillement et de méditation, mais bel et bien un lieu dangereux où l'homme n'a pas forcément sa place.

Le peintre avait déjà abordé cet aspect de la nature, dans certaines illustrations du *Voyage aux Pyrénées* de Taine, en 1855. Toutefois, un grand nombre d'aquarelles peintes au milieu des années 1870, notamment *Lac près de Ischl* (Strasbourg, musée d'Art moderne et contemporain, inv. 55.952.13.41), évoquent davantage cette œuvre et permettent sa datation approximative. J P

Lac d'Écosse

1874
Aquarelle
24,5 x 37,5 cm
Dijon, musée des Beaux-Arts
Inv. 2723
Signé en bas à gauche : *G. Doré / Aberdeenshire 1874*
Dédicacé en bas à gauche : *à Madame Morel-Retz – affectueux hommage – G Doré*

Invité par le colonel Teesdale, Doré découvre l'Écosse et ses paysages sublimes au printemps 1873. C'est là qu'il développe sa technique de l'aquarelle, rapide d'emploi en plein air. Mais surtout, les effets de transparence de l'aquarelle, très utilisée par les paysagistes britanniques, permettent de sublimer la lumière changeante de ces contrées nordiques. Doré trouve dans le pays de Walter Scott des sites naturels tourmentés, mystérieux, qui inspirent son âme romantique. Les montagnes, les lacs et les ruines retiennent son attention. La région d'Aberdeen ici évoquée est riche en châteaux, mais il est difficile d'en reconnaître un en particulier.

Malgré leur romantisme démodé à l'époque de l'impressionnisme naissant, les aquarelles de Doré rencontrent un certain succès. Celle-ci fut dédiée à l'épouse de Louis Morel-Retz (1825-1899), avocat d'origine dijonnaise devenu compositeur, peintre – il exposa aux Salons de 1857, 1864 et 1865 – et caricaturiste pour *Le Charivari* et *Le Journal amusant*. M B-P

Scène de naufrage, dit aussi ***Tempête***

Vers 1861
Lavis d'encre de Chine et gouache blanche sur bois
24 x 19,2 cm
Dijon, musée des Beaux-Arts
Inv. J 159
Signé en bas à droite et à l'envers : *G Doré*

Doré a souvent représenté le monde de la mer : les marins, les navires, l'espace immense des flots, avec une prédilection pour les scènes de tempête, qui lui permettent d'exprimer toute sa dimension romantique. Citons entre autres *Les Travailleurs de la mer* de Hugo, *La Chanson du vieux marin* de Coleridge **(cat. 70 et 71)** ou *Londres* de Jerrold **(cat. 47 et 48)**. Ici, les naufragés tentent désespérément de se maintenir hors des vagues déchaînées, dominés par l'énorme proue du bateau qui sombre à pic. Cette scène était destinée à un projet d'illustration pour *Sindbad le marin*, l'un des contes des *Mille et Une Nuits* (cat. expo Strasbourg 1983, n° 22). M B-P

24 *Paysage avec un cavalier*

Vers 1875
Huile sur toile
51 x 85 cm
Bourg-en-Bresse, musée du monastère royal de Brou
Inv. 963.54
Signé en bas à droite : *Gve Doré*

On retrouve dans cette œuvre de petites dimensions tout le charme des paysages de Gustave Doré. À travers une vaste clairière, le crépuscule naissant incendie les pins de lueurs rougeâtres. Le contre-jour découpe les bras noirs des frondaisons sur le ciel cuivré. Dans cette ode à la nature, on devine à peine la silhouette d'un cavalier qui s'éloigne. Seul, face au soleil couchant, il semble, comme l'astre, avancer vers un destin immuable. Sa silhouette minuscule et comme perdue dans ce paysage accentue le sentiment d'errance du personnage et sa fragilité face aux éléments qui l'entourent.

À ce titre, l'œuvre a été longtemps considérée comme une représentation de Don Quichotte. Cependant, elle n'évoque en rien la péninsule Ibérique mais plutôt les paysages écossais, peints par Gustave Doré dans les dix dernières années de sa vie. La vue dégagée, les collines apparaissant au loin et les bouquets de pins sont à rapprocher de différentes vues d'Écosse peintes à l'aquarelle au milieu des années 1870. J P

Paysage de Bretagne ou d'Écosse (?)

1875-1880
Huile sur toile
116 x 198 cm
Bourg-en-Bresse, musée du monastère royal de Brou
Inv. 987.8
Signé en bas à droite : *G Doré*

Le premier titre donné à cette œuvre fut *Paysage de Bretagne*, en raison de plusieurs similitudes avec un tableau figurant dans la vente après décès mais dont il ne subsiste aucune image. Toutefois, l'œuvre pourrait être rapprochée du voyage en Écosse réalisé par Gustave Doré en avril 1873 pour « pêcher au milieu du beau paysage de Deeside (Cat Strasbourg 1983, p. 139.) » en compagnie du colonel Teesdale, écuyer du prince de Galles. Les paysages sauvages que découvre le peintre entre Aberdeen et Balmoral l'impressionnent profondément.

Gustave Doré utilise ici, comme à l'accoutumée, des couleurs froides. Celles-ci se prêtent à l'orage qui s'annonce, au ciel brumeux et aux vagues tumultueuses que l'on aperçoit au premier plan. Toutefois, la robe rouge d'une bergère accompagnée de son chien apporte une note chaude. Le personnage représente l'Humanité face à la grandeur de la Nature évoquée par le paysage en lui-même, et face au temps qui passe, symbolisé par le château, construction censée être protectrice mais qui se révèle en définitive bien éphémère.
Les éléments déchaînés et la ruine placent brutalement le spectateur au cœur d'un monde devenu soudain hostile, le renvoyant à ses propres conflits intérieurs. Sous le coup de l'émotion, il va éprouver des sentiments contradictoires d'impuissance et d'émerveillement. La composition de l'œuvre est également basée sur une opposition entre l'horizontalité des flots, du littoral côtier, et les nombreuses verticales du château. Tout comme dans le tableau *Lac en Écosse après l'orage* (cat. 27), l'empâtement utilisé par Gustave Doré varie en fonction des éléments, grumeleux pour les rochers ou lisse pour le ciel.

Grand voyageur, Gustave Doré fera un voyage à Saint-Malo en Bretagne en 1874, afin de retrouver sa mère en villégiature. Il en profitera pour dessiner les remparts de Fort-La-Latte puis il retournera tous les ans en Écosse et gagnera le nord du pays pour découvrir l'île de Skye, dont il réalisera une peinture représentant une ruine de château ressemblant étrangement à celle conservée à Bourg-en-Bresse.

Il faut voir dans cette œuvre, comme dans beaucoup d'autres, un mélange de souvenirs. Dans la mémoire du peintre, les images se télescopent, aussi les traces de châteaux écossais peuvent-elles se mêler aux images du littoral breton. JP

Paysage, lac en Écosse

1881
Huile sur toile
92 x 165 cm
Caen, musée des Beaux-Arts
Inv. 69.7.1
Signé et daté en bas à droite : *Gve Doré 1881*

Tout comme *Torrent de montagne* (cat. 32), ce paysage est l'un des derniers de Gustave Doré. Malgré des voyages annuels en Écosse, le peintre le réalise de mémoire et non sur le motif. Endeuillé par la mort de sa mère en 1881, Gustave Doré renonce à l'Écosse et préfère gagner les Alpes où il demeurera presque trois mois. Cette retraite traduit son immense chagrin et le besoin de se remémorer le premier voyage qu'il fit avec sa mère en 1853.

Par son rendu réaliste et minutieux, ce paysage glorifie la nature luxuriante et sauvage propre aux grands espaces. Ainsi, bien que représentant les hautes terres d'Écosse, il fait penser aux œuvres du peintre américain Thomas Cole, fondateur de l'Hudson River School au début du XIXe siècle. Cette similitude explique la popularité de Gustave Doré outre-Atlantique de son vivant et sa présence aujourd'hui encore dans de nombreuses institutions américaines. Il traduit également l'admiration du peintre pour l'école anglo-saxonne et l'influence qu'elle a pu avoir sur sa façon de peindre. J P

27 *Lac en Écosse après l'orage*

1875-1878
Huile sur toile
90 x 130 cm
Grenoble, musée des Beaux-Arts
Inv. MG.711
Signé en bas à droite : *G Doré*

Au début du XIXe siècle, les peintres partent découvrir le Maghreb et ses paysages incroyables, remplis de couleurs et de luminosité. Après cette vague que l'on qualifiera d'orientalisme, les peintres exploreront l'Europe du Nord dans la seconde moitié du siècle.

Gustave Doré, parcourant l'Écosse en 1873, admire ce pays pour sa beauté et plus particulièrement pour son aspect sauvage et vierge. Il écrit : « Désormais quand je peindrai des paysages, je crois que cinq sur six seront des réminiscences des Highlands, d'Aberdeenshire, de Braemar, de Balmoral ou de Ballater[1]. » Pour traduire tous les aspects de cette nature contrastée et austère, le peintre, carnet au poing, s'essaie pour la première fois à la technique de l'aquarelle. Il l'utilise pure, c'est-à-dire sans autre médium, afin de ne pas fausser sa première impression. À partir de ces aquarelles, Gustave Doré réalisera un grand nombre de peintures, en atelier, dont ce paysage.

Ce *Lac en Écosse après l'orage* est un monde imaginaire où le minéral côtoie le vaporeux. Le peintre, séduit par la pureté des Highlands, veut en retranscrire toute la force. C'est la nature à l'état brut, le paysage primitif et originel par excellence. En cela, il veut satisfaire tous les amoureux de la préhistoire et de l'archéologie en général, science nouvelle au XIXe siècle.

Ici, tout est tourbillonnant et renvoie à certaines œuvres de Joseph Turner. La force de la nature en devient presque palpable. Les montagnes émergent, le brouillard se forme, l'univers est mouvant et l'ensemble ressemble à une chorégraphie. La vie se résume à quelques lichens et à deux grands oiseaux blancs, mais le lac noir du centre nous renvoie naturellement aux origines de la vie et aux travaux de Charles Darwin, qui quelques années plus tôt révolutionnèrent à jamais notre vision du monde. J P

1. Renonciat, 1983, p. 228.

La Maladeta, dite *Vue des Pyrénées*

Vers 1855
Huile sur toile
33 x 52 cm
Grenoble, musée des Beaux-Arts
Inv. MG 4113
Signé en bas à gauche : *G. Doré*

C'est après avoir suivi son père nommé ingénieur en chef à Bourg-en-Bresse que Gustave Doré, âgé de seulement neuf ans, découvre la montagne. Accompagnant parfois son père au travail, il dessine chaque jour sa nouvelle région et se passionne pour les grands espaces et la nature sauvage. Après s'être affirmé comme illustrateur, Gustave Doré débutera une carrière de peintre et exposera comme tel, pour la première fois au Salon de 1850, un paysage intitulé, *Les Pins sauvages*.

De tous les genres peints par Gustave Doré, le paysage est celui qui subit les plus fortes critiques. Émile Zola fustigera maintes fois le peintre, estimant que son imaginaire supplante trop souvent le réel au point de nuire à son art. Toutefois, *La Maladeta* ne figure pas dans ce registre. En effet, il faut voir dans ce paysage de jeunesse, un souvenir vivace du premier voyage en Espagne de Gustave Doré en 1855. La représentation du massif pyrénéen fait d'avantage penser à une photographie ou à une illustration pour un documentaire qu'à une libre interprétation de la nature. En cela, l'œuvre nous renvoie au combat de Nadar, ami du peintre, qui la même année, se battit pour introduire la photographie au Salon des beaux-arts et ainsi quitter celui consacré aux produits de l'industrie.

Par le réalisme de cette œuvre, Gustave Doré veut s'affirmer en tant que peintre et ne plus être associé à ses précédents travaux caricaturaux. C'est pourquoi il investira dans la peinture toute sa gravité et son sérieux J P

Le Massif de la Maladeta

1879
Huile sur toile
112 x 175 cm
Tarbes, maison natale du maréchal Foch
Inv. TAR1974000001
Signé et daté en bas à gauche : *G. Doré, 1879*
Œuvre non exposée

Gustave Doré, alors âgé de seulement vingt-trois ans, fit son premier voyage en Espagne en 1855 en compagnie de Paul Dalloz et Théophile Gautier. Ce voyage destiné dans un premier temps à illustrer l'ouvrage d'Hippolyte Taine intitulé *Voyage aux eaux des Pyrénées*, dans lequel l'auteur commente sa randonnée préférée et les plus beaux paysages espagnols, va rapidement se transformer en voyage initiatique. Gustave Doré découvre avec émerveillement la nature, la tauromachie, la population espagnole et plus particulièrement les Bohémiens qui le fascinent.

Le massif de la Maladeta est la chaîne de montagnes la plus haute des Pyrénées espagnoles. Passionné de montagne, Doré en fit la peinture et l'offrit à son ami le maréchal Foch en 1879 lorsque celui-ci s'installa à Paris. Ce cadeau fut particulièrement apprécié par le militaire, originaire de Tarbes, qui, en souvenir du peintre et des liens étroits qui les unissaient, ne s'en sépara jamais. À la mort de Gustave Doré, Foch organisera les obsèques et un repas d'adieu en l'honneur de son ami.

Comme dans les nombreux paysages du peintre, la nature est ici sauvage et empreinte de dangers, les arbres déracinés et cassés du premier plan nous rappellent combien l'homme est insignifiant face à la nature. Les oiseaux, très présents également dans les paysages du peintre, confèrent une dimension quasi mystique à la scène tandis qu'au loin les neiges éternelles de la montagne nous incitent à l'humilité. J P

30

La Cascade du Trou de l'Enfer dans la vallée du Lys

1882
Aquarelle sur papier
56 x 38 cm
Lourdes, château fort et son Musée pyrénéen
Inv. D.75.1.4, dépôt au musée des Beaux-Arts de Pau
Signé en bas à droite : *G. Doré / Trou d'Enfer / Bagnères-de-Luchon*

Doré, à l'instar de nombreux artistes français avant lui (cat. expo Toulouse 2007), a été fasciné par la beauté sauvage et romantique des Pyrénées, qu'il a visitées plusieurs fois, en 1855, 1862, puis 1882. Les cascades de Valentin et de Gavarnie ont été représentées dans le *Voyage aux Pyrénées* de Taine, plusieurs fois réédité depuis 1855, en raison de son succès[1]. Certains paysages vertigineux et chaotiques de *L'Enfer* de Dante, le *Roland furieux* de l'Arioste ou le *Don Quichotte* de Cervantès (pics escarpés, cascades, torrents…) sont également inspirés des paysages pyrénéens.

Sur cette aquarelle tardive, Doré utilise une gamme colorée moins froide qu'à son habitude, accentuant l'effet de profondeur grâce aux verts et jaunes ensoleillant la végétation du premier plan. La perspective est rendue plus vertigineuse encore par un effet de contre-plongée, souvent utilisé par Doré. M B-P

1. http://gallica.bnf.fr/ark:/12148/bpt6k103134v/f2.image.swf. Voir p. 157, 358-359.

31

L'Aube, souvenir des Alpes

1880
Huile sur toile
120 x 174,6 cm
Reims, musée Saint-Denis
Inv. 880.14
Signé et daté en bas à droite : *Gve Doré 1880*

Peinte entre les deux voyages dans les Alpes que l'artiste fit à la fin de sa vie en 1879 et 1881, cette œuvre illustre son intérêt pour le paysage « miroir de l'âme » hérité du romantisme du peintre anglais John Constable et surtout de celui du peintre allemand Caspar David Friedrich.

Fasciné par les paysages sauvages, principalement ceux de montagnes, le peintre s'intéresse aux effets climatiques et à leur incidence sur la lumière. Sans succomber à la technique des avant-gardes de son temps, notamment de l'impressionnisme, il parvient à nous suggérer le parcours du soleil. Celui-ci perce l'horizon, éclaire les nuages et va progressivement illuminer la vallée. L'omniprésence du ciel plonge le spectateur dans un état contemplatif et donne à l'œuvre une tournure métaphysique servie par une gamme de tons sourds, gris et bruns, ou même bleu-violet, qui traduisent incontestablement la mélancolie. Les dimensions réduites de l'œuvre tendent également à le confirmer. La stylisation des différents éléments du paysage, celle par exemple des sapins, rappelle quant à elle l'importance du dessin dans la démarche de l'artiste qui, après avoir observé le site et après l'avoir étudié, transpose sur la toile, de mémoire, une nature passée au crible de son imaginaire.

Bien qu'il s'agisse d'une œuvre tardive, Gustave Doré s'intéressa à ce sujet dès le début de sa carrière, dans le cadre d'une commande de sept vues alpestres pour un décor de théâtre. J P

Torrent de montagne

1881
Huile sur toile
92 x 166 cm
Toulon, musée d'Art et d'Archéologie
Inv. 968.23.1
Signé en bas à droite : *G. Doré / 1881*

Le thème romantique de la haute montagne fascinait Doré, réminiscence des massifs vosgiens de son enfance. En 1850, Charles Philipon lui avait commandé sept vues alpestres destinées à un décor de théâtre. Mais ce n'est qu'en 1853 que Doré se rend pour la première fois dans les Alpes, où il retournera régulièrement. En 1860, il présente au Salon deux peintures alpestres, côté savoyard et côté suisse. Il peint également souvent les Pyrénées à partir de 1855. La montagne occupe en effet une grande part dans son travail de paysagiste[1].

Le Paysage, effet de neige de 1876[2], rapproché de celui-ci par Jean-Roger Soubiran[3], offre bien le même type de décor naturel, avec le torrent, les arbres et les montagnes enneigées, dans l'esprit des paysagistes romantiques tels que Caspar Wolf ou Alexandre Calame. On pourrait y ajouter d'autres représentations de torrents, à l'huile **(cat. 34)** ou à l'aquarelle[4]. Mais tandis que ces derniers respirent la vitalité de l'eau vive, *Torrent de montagne* offre du sujet une interprétation plus sombre.

En 1881, Doré, très affecté par la mort sa mère avec laquelle il avait vécu toute sa vie une relation fusionnelle, se ressource durant trois mois dans les Alpes suisses. Les paysages majestueux lui procurent le calme et la sérénité, et lui inspirent des œuvres d'une beauté lugubre, par exemple une magnifique aquarelle, *Cimetière sous la lune*[5]. C'est dans ce contexte que se situe *Torrent de montagne*, à l'atmosphère oppressante, à l'horizon à peine entrouvert, dans lequel les branches sèches d'un arbre mort contrastent avec la vie renaissante du cours d'eau[6]... M B-P

1. Cat. expo Grenoble et Turin, *Le Sentiment de la montagne*, 1998, p. 226-227.
2. Collection particulière, reproduit dans Kaenel 1985, p. 51.
3. *Le musée a cent ans, 1888-1988*, musée d'Art de Toulon, du 21 décembre 1988 au 6 juin 1989, t. I, Musées de Toulon, 1988, p. 331-332.
4. Reproductions dans Kaenel 1985, p. 75.
5. Collection particulière, reproduite dans Renonciat 1983, p. 282-283.
6. Brigitte Gaillard, *Art ancien et moderne, collections du xve au xxe siècle*, Toulon, Musées de Toulon, 2007, p. 79.

Le Cirque de Gavarnie

1882
Aquarelle sur carton
73 x 88 cm
Lourdes, château fort et son Musée pyrénéen, dépôt au musée des Beaux-Arts de Pau
Inv. D.75.1.3
Signé en bas à gauche : *G. Doré*

Le cirque de Gavarnie a été reproduit maintes fois par Doré, soit sur des aquarelles (à la vente de 1885, nombre d'entre elles portaient sur ce sujet), soit sur des gravures, publiées dans le *Voyage aux Pyrénées* ou dans *L'Enfer*. Sur cette grande aquarelle, Doré montre sa virtuosité technique, déployant un subtil camaïeu aux teintes froides à l'intérieur du cirque naturel. Le torrent au premier plan et qu'on retrouve en contrebas, rejoint la ligne serpentine de la cascade au fond du trou. Comme sur le cat. 30, les moyens employés ici par l'artiste accentuent l'aspect spectaculaire de ce site naturel exceptionnel. M B-P

34 *Le Torrent*

Vers 1865
Huile sur toile
147 x 114 cm
Collection particulière
Signé en bas à gauche : *G Doré*
Œuvre non exposée

Cette œuvre représente une nature tourmentée. Au premier plan un torrent crache ses eaux avec puissance et empêche quiconque de le traverser tandis qu'à gauche on aperçoit un sapin pliant sous les rafales du vent. En arrière-plan la face Est du mont Cervin se détache à travers les nuages et nous indique que l'œuvre fut réalisée dans les environs de Zermatt en Suisse. Peut-être s'agit-il de la Matter Vispa, une rivière réputée dans la région pour être en crue fréquemment lors des orages et dont le cours se transforme subitement en flots impétueux et hostiles.

Gustave Doré entreprit son premier voyage en Suisse durant l'été 1853 en compagnie de sa mère et de son jeune frère Émile, avec qui il s'adonna à l'escalade. Ce voyage fascina le peintre au point que la montagne devint son sujet de prédilection.

La première ascension du mont Cervin fut réalisée le 14 juillet 1865. À cette occasion et en tant que randonneur chevronné, Gustave Doré réalisa plusieurs dessins dont deux grands formats actuellement conservés au musée du Louvre. Nous pouvons par conséquent supposer que *Le Torrent* date de cette période. J P

Paysage montagnard avec un troupeau

Sans date
Huile sur toile
94 x 168,5 cm
Toulon, musée d'Art et d'Archéologie
Inv. 968.23.2
Signé en bas à droite : *G. D.*

Comme le cat. 32, cette peinture fut donnée au musée de Toulon par la famille Pisan en 1964. Héliodore-Joseph Pisan, peintre, aquarelliste et excellent graveur sur bois, avait travaillé avec Doré, gravant en particulier *La Bible*, *L'Enfer* et *Don Quichotte*. On ignore toutefois s'il avait acheté ces deux peintures à Doré ou si ce dernier les lui avait données. Si on sait que Doré paysagiste fut admiré par des peintres comme Ernest Victor Hareux[1], on ignore de même s'il eut une quelconque influence sur la peinture de Pisan.

Quoi qu'il en soit, ce paysage alpestre, dont l'horizon orangé et embrumé suggère l'aube, est assez conventionnel. Dans un style peu affirmé, il reprend la longue tradition des petites figures de vaches et de bergers au premier plan, comme dans les peintures de Claude Gellée, dit le Lorrain, Joseph Vernet, Paul Huet, Jules Coignet et tant d'autres de ses prédécesseurs paysagistes… Il est donc fort probable que cette peinture, signée laconiquement « G. D. », appartienne à la jeunesse de Gustave Doré, mais il est difficile de la dater avec certitude. M B-P

1. Cat. expo Grenoble et Turin, *Le Sentiment de la montagne*, 1998, p. 214.

36

Ruines de trois châteaux

Avant 1883
Huile sur toile
131 x 175 cm
Troyes, musée des Beaux-Arts
Inv. 893.2
Signé en bas à gauche : G. Doré

Ce tableau est entré dès 1893 au musée de Troyes, donné par François-Joseph Audiffred (1807-1892), juge de commerce d'origine troyenne. Peint dans des tonalités claires inhabituelles pour Doré, le paysage escarpé reste fidèle à l'esprit romantique, représentant de minuscules figures écrasées par l'immensité du décor naturel, et des ruines recouvertes de végétation. Il s'agit vraisemblablement d'un paysage d'invention, qui rappelle un peu ceux de l'Anglais John Martin, par exemple *The Bard*, vers 1817 (Yale Center for British Art, Paul Mellon Collection). M B-P

Les œuvres religieuses

37 *L'Ange de Tobie*

1865
Huile sur toile
93 x 73 cm
Colmar, musée Unterlinden, dépôt du musée d'Orsay
Inv. LUX86
Signé en bas à droite : *Gve Doré*

Les deux cents illustrations de *La Sainte Bible* furent réalisées entre 1862 et 1865 par Doré. Plusieurs toiles s'en inspirèrent directement tels *La Tribu de Josué traversant le Jourdain*, *La Fille de Jephté et ses compagnes* (Salon de 1867) et *L'Ange de Tobie*. Cette dernière, quasiment identique à la gravure, fut exposée au Salon de 1865 et achetée par l'État **(fig. 5 p. 17)**. Bien que de petites dimensions et ne reflétant pas réellement la peinture de Doré, *L'Ange de Tobie* sera la seule toile de l'artiste achetée au salon par l'État de son vivant.

Le livre de Tobie dans l'Ancien Testament raconte l'histoire du jeune Tobie, parti recouvrer une dette de son père devenu aveugle. Il rencontre un jeune homme qui l'aidera à élaborer un remède contre la cécité de son père et à séduire sa future épouse Sara. Revenu dans sa famille, Tobie, toujours accompagné du mystérieux jeune homme et de Sara, rend la vue à son père. À la fin du repas donné en leur honneur, l'archange Raphaël dévoile sa véritable identité et demande à la famille de rendre grâce à Dieu.

Comme dans le célèbre tableau de Rembrandt, c'est le départ de l'ange qui est représenté. Mais contrairement au grand maître hollandais, Doré fait la part belle au paysage. Face à l'immensité du désert, la famille de Tobie est à genoux et se tourne vers l'ange comme lors d'une apparition.

« "Je suis Raphaël, un des sept Anges qui se tiennent toujours prêts à pénétrer auprès de la Gloire du Seigneur." Ils furent remplis d'effroi tous les deux ; ils se prosternèrent, et ils eurent grand-peur [...]. "Vous avez cru me voir manger, ce n'était qu'une apparence. Alors, bénissez le Seigneur sur la terre, et rendez grâce à Dieu. Je vais remonter à Celui qui m'a envoyé. Écrivez tout ce qui est arrivé." Et il s'éleva. Quand ils se redressèrent, il n'était plus visible. Ils louèrent Dieu par des hymnes ; ils le remercièrent d'avoir opéré de telles merveilles : un ange de Dieu ne leur était-il pas apparu[1] ! » J P

1. Tobie (XII,15-22), dans *La Sainte Bible illustrée par Gustave Doré*, 1866, Tours, éd. Alfred Mame & fils.

Les Martyrs chrétiens, dits aussi ***La Nuit dans le cirque***

1871
Huile sur toile
140 x 213,5 cm
Strasbourg, musée d'Art moderne et contemporain
Inv. 55.996.18.1
Signé en bas à gauche : *Gv. Doré*

À l'exemple de Léon Bénouville, qui livrait pour l'Exposition universelle de 1855 *Les Martyrs chrétiens entrant dans l'amphithéâtre* (Paris, musée d'Orsay), et comme l'a bien noté Jules Claretie dans sa recension du Salon de 1874 (cité dans Zafran 2007, p. 72), Doré n'a pas choisi de représenter la scène du martyre lui-même, mais lui a préféré la nuit suivante. Le Colisée est plongé dans le silence sourd qui fait suite aux grandes tragédies et dans le noir bleuté cher au peintre. Le temps semble suspendu. Au centre de l'arène, alors que les fauves se repaissent ou s'amusent encore avec un cadavre, un peuple d'anges apporte les couronnes et les palmes, attributs conventionnels des martyrs chrétiens, sous un ciel scintillant d'étoiles. Plusieurs études préparatoires, proches de la composition définitive, éclairent le travail de Doré (Strasbourg, musée d'Art moderne et contemporain ; collection particulière, reproduit dans Zafran 2007, p. 71). L'une néanmoins se distingue en proposant un premier plan barré par le corps inerte d'un chrétien adossé à l'emmarchement d'un podium (Washington, National Gallery of Art). Contrairement à Jean-Léon Gérôme sur lequel l'œuvre a pourtant dû exercer une influence (*Dernières Prières des martyrs chrétiens*, 1883, Baltimore, Walters Art Museum ; *La Sortie des lions*, 1902, collection particulière, reproduit dans Laurence des Cars, Dominique de Font-Réaulx, Édouard Papet, *Jean-Léon Gérôme (1824-1904), l'histoire en spectacle*, Éditions Musée d'Orsay et Skira-Flammarion, 2010) et plus encore à Pierre Fritel qui exposait *Un martyr* au Salon de 1879 (Ambert, Hôtel de Ville), Doré contient son talent de peintre animalier qu'il avait pourtant laissé paraître dans l'illustration des *Fables* de La Fontaine ou, plus proche de notre sujet, dans *Daniel dans la fosse aux lions* pour *La Sainte Bible*. B-H P

La Résurrection[1], dite aussi *Le Christ sortant du tombeau*

Vers 1870-1880
Huile sur toile
250 x 180 cm
La Rochelle, musée des Beaux-Arts
Inv. MAH.1885.2.5
Signé en bas à gauche : *Gv. Doré*
Cachet de l'atelier en bas à droite

Dès 1869, Doré fixe les éléments de cette scène dans deux esquisses conservées, l'une à New York au Metropolitan Museum of Art (reproduite dans cat. expo. Strasbourg 1983, p. 107, nº 72) et l'autre au musée d'Art moderne et contemporain de Strasbourg. Toutefois, la scène n'y est pas représentée de manière aussi frontale. Le déplacement du point de vue s'opère au début des années 1870, période à laquelle est attribué un croquis exécuté sur papier à l'en-tête de la Doré Gallery (Strasbourg, musée d'Art moderne et contemporain). Dans la composition définitive, Doré réutilise, en procédant à une inversion droite/gauche, le Christ monumental qu'il a conçu à partir de 1868-1869 pour la figure centrale de sa célèbre composition du *Christ quittant le prétoire* (Nantes, musée des Beaux-Arts). La position des mains, le mouvement de la tête et les traits du visage, les plis de la tunique en attestent, à l'exception du pied que Doré a été contraint de repositionner puisque le Christ marche ici sur un sol plan. Ce remploi explique sans doute l'impression de légère contre-plongée que le spectateur ne manque pas d'éprouver. À l'arrière, les soldats endormis encadrent l'entrée du tombeau. L'astre lunaire diffuse une clarté blafarde qui ajoute au surnaturel de la scène et à laquelle le peintre oppose une lumière chaude qui irradie du Christ.

La toile a été achetée par la Société des amis des arts de La Rochelle lors de la vente de l'atelier en 1885 pour être offerte au musée municipal. B-H P

1. Nous privilégions le titre donné par Doré lui-même. Le révérend Frédérick Harford rapporte en effet le témoignage suivant : « [...] il me conduisit à son studio. Sur le chevalet, il y avait une magnifique esquisse en noir et blanc que Doré avait intitulée "Résurrection" » (Roosevelt 1887, p. 347-349).

Les Trois Juges de l'Enfer, dits aussi *Le Jugement dernier*

Entre 1870 et 1878 (?)
Huile sur toile
130,5 x 194 cm
La Rochelle, musée des Beaux-Arts
Inv. MAH.1885.2.1
Signé en bas à gauche : *Gve Doré*
Cachet de l'atelier en bas à droite

L'enfer dont il est question ici est celui de la mythologie grecque auquel Doré consacra plusieurs de ses travaux (*Les Titans*, dessin, Salon de 1866, reproduit dans Valmy-Baysse 1930, planche hors texte p. 260). Au fond d'un gouffre rocheux, Minos, Éaque et Rhadamanthe statuent sur la destinée des morts. Drapés à l'antique, assis à même la roche, ils s'inscrivent dans une composition triangulaire qui fait converger le regard vers les corps tourmentés de deux suppliciés au centre du tableau. De part et d'autre du chemin conduisant aux juges, deux groupes s'opposent : à gauche, dans l'ombre, les damnés résignés se dirigent vers le Tartare ; à droite, les élus vont rejoindre les Champs Élysées. Traitée en grisaille par un maître de la gravure, l'œuvre est servie par une lumière dont les contrastes appuyés font naître une impressionnante intensité dramatique.

La position contorsionnée du condamné qui lève son coude au centre du tableau avait déjà été utilisée par Doré, en 1866, dans une illustration de *La Sainte Bible* représentant la *Chute de Jérusalem* (personnage debout sur la gauche). Ce geste singulier, répété par Doré, paraît être la citation d'une œuvre qu'il pouvait admirer tout à loisir, puisque exposée au musée du Louvre depuis 1794 : *L'Esclave mourant* de Michel-Ange.

Le tableau a été acheté par la Société des amis des arts de La Rochelle pour être offert au musée municipal lors de la vente de l'atelier de Gustave Doré en 1885. Mentionné dans le catalogue de la Doré Gallery de 1879, son exécution est à situer vraisemblablement entre 1870 et 1878. B-H P

Le Christ mort, dit aussi *Tête de Christ*

Vers 1875-1880 (?)
Huile sur toile
63,5 x 58,5 cm (toile agrandie latéralement)
Paris, collection particulière
Cachet de l'atelier en bas à droite

Dans les sujets de la vie du Christ, comme la génération des peintres romantiques qui l'ont précédé[1], Doré a consacré nombre de ses travaux aux sujets de la Passion, prétexte à rendre notamment l'expression plus ou moins contenue de la douleur et de la souffrance. Avec cette œuvre, l'artiste va encore plus loin puisqu'il choisit de figurer dans un cadrage très resserré le Christ mort après qu'il a été déposé de la Croix, comme l'indiquent la tête renversée en arrière, le visage éprouvé et ensanglanté par la couronne d'épines, les yeux et la bouche entrouverts, les chairs encore roses mais déjà bleuies, ainsi que la présence de la Vierge à peine perceptible sur la gauche mais toutefois identifiable par son manteau bleu. D'autres avant lui ont exploré cette iconographie cadavérique, notamment Dürer en 1503 (*Tête de Christ mort*, Londres, British Museum). Le traitement plastique (couleurs froides entourant le corps, exécution rapide par touches nerveuses, plis anguleux du linceul) sert ici une vision très personnelle et un expressionnisme d'une grande modernité qui, non sans référence au Greco, évoque certaines des évolutions dont la peinture fera l'objet à la fin du XIXe et au début du XXe siècle. Dans un court article consacré à ce tableau, Sylvain Bellenger souligne à quel point il prouve « la qualité visionnaire et la dimension expressionniste de Doré » [2].

Vendu en 1885 lors de la dispersion de l'atelier, cet étonnant tableau est réapparu il y a quelques années sur le marché de l'art (galerie Jacques Fischer, Paris). B-H P

1. Bruno Foucart, *Le Renouveau de la peinture religieuse en France 1800-1860*, Paris, 1987, p. 100.
2. S. Bellenger, « Curator's Choice », dans *Painting and Drawing Society Newsletter*, Cleveland Museum of Art, janvier 2002, vol. 3, nº 1, p. 2.

Tête d'Ecce homo, dit ***Le Christ au roseau***

1874
Plume, lavis d'encre de Chine, pierre noire et rehauts de gouache blanche sur papier
58 x 44 cm
Pontoise, musée Tavet-Delacour
Inv. D.1893.1.1
Signé et daté en bas à gauche : *G. Doré, 1874*
Inscription au-dessus de la signature : *offert à la loterie pour les sauveteurs bretons*

L'illustration de *La Sainte Bible* en 1866 et, à partir de 1868, ses peintures religieuses présentées à la Doré Gallery fournirent à Doré l'occasion de dessiner le Christ à de multiples reprises. Si l'on en croit Mme Braun, une cousine de la mère de Doré, « chaque fois qu'il dessinait une tête du Sauveur, elle ressemblait à celle de son frère Ernest. Je lui en fis la remarque, et cependant jamais Ernest n'avait posé pour tel. Lorsque vous verrez un Christ de Doré, vous aurez devant vous les traits d'Ernest »[1]. En l'absence de photographie d'Ernest identifiée, il est difficile de confirmer cette assertion. Contrairement à ses compositions pour la Bible ou au dessin de la *Tête de Christ aux outrages* (collection particulière, reproduit dans cat. expo. Strasbourg 1983, p 197, n° 218), dont les traits sont parfaitement similaires à ceux de cette *Tête d'Ecce homo*, Doré ne donne pas à voir ici la violence et la gesticulation de la foule carnassière qui environne Jésus mais dont le spectateur sait la présence. Le Christ est isolé, adossé, acculé même au mur sur lequel sa tête projette une ombre courte. Cette absence de profondeur accentue la proximité du spectateur avec le visage apeuré et ensanglanté d'un Christ qui ne peut contenir ses larmes.

Le dessin fut vendu 730 francs le 22 mai 1875 à l'Hôtel Drouot au bénéfice de la caisse de secours des Hospitaliers-Sauveteurs bretons à laquelle Doré l'avait expédié à la fin du mois de novembre 1874 (cat. expo. Strasbourg 1983, p. 147, n° 135). Il fut ensuite acheté pour être donné au musée de Pontoise à Drouot lors de la vente du 2 juin 1893[2]. Une autre version de ce profil du Christ, exécutée à la pierre noire et moins aboutie, publiée dès 1887 par Blanche Roosevelt (p. 271), est aujourd'hui conservée à la Jeffrey Horvitz Collection, Boston[3]. B-H P

1. Roosevelt 1887, p.320.
2. Christophe Duvivier, *De Véronèse à Matisse, dessins et aquarelles des musées de Pontoise*, Le Valhermeil, 2010, p. 99.
3. Zafran 2007, p.82, n°98.

43

Le Néophyte

Vers 1877
Eau-forte originale
92,2 x 122,4 cm (feuille) ; 59,5 x 72,2 cm (cuvette)
Bourg-en-Bresse, musée du monastère royal de Brou
Inv. 981.28
Signé en bas à gauche : *G. Doré aquaforte*

La première version de ce sujet majeur dans l'œuvre de Doré[1] apparaît dans une illustration du roman de George Sand, *Spiridion*, en 1855, sous le titre *Frère Angel* (cabinet des Estampes, Bibliothèque nationale, Paris). Il n'y a alors que trois moines hideux autour du néophyte.

Un tableau intitulé *Le Néophyte*, daté de 1865, exposé à Londres en 1868 et aujourd'hui conservé au Chrysler Museum de Norfolk (147,7 x 273 cm), développe la composition sur une rangée de moines. Selon Tom Taylor, il s'agit « de la consternation d'un jeune moine, trop vite éveillé à la vérité que le cloître n'est pas cette demeure de pieuse méditation et de vie sainte qu'il s'était figurée[2] ».

Une seconde huile sur toile enrichit la composition sur deux rangées de stalles. L'œuvre, présentée au Salon de 1868 (n° 817), rencontre un grand succès. Gautier salue les progrès de Doré : « Il sera bientôt maître absolu de son pinceau comme il l'est de son crayon. » Thoré considère *Le Néophyte* comme un des meilleurs tableaux du Salon, le comparant aux peintures de Zurbarán. Cette grande version (244 x 309 cm), qui se trouvait dans la collection Armand Hammer, est aujourd'hui conservée dans la cathédrale de Los Angeles (environ 290 x 370 cm)[3].

Une troisième peinture sera peinte en 1880 et exposée à Londres à la Doré Gallery à partir de 1881 sous le titre *Le Rêve du moine*. Le jeune novice joue ici de la musique sur un orgue, sous le regard d'une vierge sensuelle (deux versions conservées au musée de Ponce, à Porto Rico, 332,5 x 197,5 cm ; une autre à l'Art Gallery of Hamilton, Ontario, Canada, 244 x 305 cm).

Plusieurs dessins déclinent aussi le sujet (musée de Nemours, inv. 1171 ; Chrysler Museum, Norfolk ; collections particulières...). Doré fit également neuf eaux-fortes successives de ce sujet, dont la neuvième, ici présentée, de grandes dimensions, fut exposée au Salon de 1877.

La jeunesse et la beauté du moine contrastent avec l'apparence de ses pairs. Son regard inquiet, interrogeant le spectateur, exprime un profond sentiment de solitude. On comprend dès lors l'importance de ce sujet pour Gustave Doré, qui se sentait incompris en tant que peintre. M B-P

1. Cat. expo Strasbourg 1983, n°s 21, 64, 65, 66, 67 et 68.
2. *Descriptive Catalogue of Pictures and Drawings by Gustave Doré On Exhibition at the German Gallery*, Londres, 1868, p. 10-11.
3. Renonciat 1983, p. 170, et Zafran 2007, p. 87.

Le Sermon sur la montagne, dit aussi *Jésus prêchant sur la montagne*

Vers 1868-1870
Huile sur toile (inachevé)
130 x 195 cm
Collection particulière
Cachet de l'atelier en bas à droite

Dans le contrat signé le 7 décembre 1867 avec Fairless et Beeforth, précisant les clauses de la création de la Doré Gallery, notamment la réalisation du *Triomphe de la chrétienté sur le paganisme*, Doré s'engageait « à peindre une ou deux autres toiles représentant, soit : *Le Christ guérissant les malades, Le Sermon sur la montagne*, ou *Le Christ quittant le prétoire* »[1]. Doré avait déjà illustré ce sujet pour *La Sainte Bible*, en 1866. Néanmoins, hormis la composition en cercles concentriques et la reprise à l'identique de la figure du Christ index levé vers le ciel, le tableau diffère sensiblement de la gravure par les attitudes des personnages et des groupes qu'ils constituent. Il en est de même pour le cadre de la scène, les arbres si présents dans la gravure ayant quasiment disparu pour laisser une vaste place au ciel et ménager une percée vers un lac sur la droite du tableau. Cette différence n'est pas anecdotique et atteste de la connaissance intime que Doré avait des textes sacrés. Mais surtout, elle lui permet d'être plus respectueux, sinon des sources bibliques, tout au moins des exégèses qui en furent faites par les Pères de l'Église. L'Évangile de Matthieu et dans une moindre mesure celui de Luc sont les seuls à relater la scène où Jésus aurait annoncé à ses disciples les huit béatitudes de la Nouvelle Loi. Matthieu situe cet épisode au sommet d'une « colline inspirée », pendant du mont Sinaï du haut duquel Dieu avait remis à Moïse les dix commandements de l'Ancienne Loi. Pour Luc, c'est au contraire sur les bords du lac de Génésareth, dans la plaine, que le sermon aurait été prononcé. Louis Réau précise que pour accorder les deux textes, les exégètes conciliants situent le sermon « non sur la montagne ni dans la plaine, mais à mi-hauteur, sur un plateau dominant la surface du lac »[2].

Le Sermon sur la montagne est à rapprocher d'une œuvre présentée par Doré au Salon de 1867, *La Fille de Jephté et ses compagnes*, avec laquelle il partage la même construction pyramidale et un traitement très similaire du paysage. Quant au vieillard du premier plan, à droite, il n'est autre que le personnage de l'enchanteur dans *Viviane et Merlin* (cat. 67) dont il reproduit les traits et la même position assise, la tête penchée.

Inachevé à la mort du peintre, le tableau figura dans la vente de l'atelier en 1885 au numéro 218 sous le qualificatif d'« esquisse avancée » (Dézé 1930, p. 122 ; cat. expo. Strasbourg 1983, p. 94, n° 50). B-H P

1. Roosevelt 1887, p. 269.
2. Louis Réau, *Iconographie de l'art chrétien*, Paris, 1957, PUF, t. 2, p. 319.

Jésus dans la synagogue, dit aussi *Jésus au milieu des docteurs*

Vers 1870-1880
Huile sur toile (inachevé)
120 x 172 cm
Sète, musée Paul-Valéry
Inv. 890.5.1
Cachet de l'atelier en bas à droite
Œuvre non exposée

Figurant en 1885 à la vente de l'atelier (nº 217), sous le titre *Jésus au milieu des docteurs*, le tableau a été offert cinq ans plus tard au musée de Sète. Nadine Lehni a proposé d'y reconnaître *Jésus dans la synagogue* (cat. expo. Strasbourg 1983, p. 148, nº 137). Cette identification alors basée sur la seule analyse iconographie du tableau est aujourd'hui confortée par le rapprochement avec la gravure du même titre exécutée par Doré pour *La Sainte Bible* en 1866, qui ne laisse aucun doute sur le sujet de l'œuvre. Contrairement à la gravure, le développement horizontal de la toile permet au peintre de déployer une composition en cercles concentriques autour de la figure centrale du Christ qui n'est pas sans évoquer celle du *Sermon sur la montagne* (cat. 44). Simplement esquissés, les personnages fantomatiques sont traités en camaïeu de bistre. Avec talent, Doré leur insuffle vie en recourant à des touches de couleurs franches et le plus souvent vives, technique caractéristique de ses esquisses peintes, mais qui se retrouve également dans ses œuvres achevées (soleil couchant entre les arbres de la *Forêt nocturne avec des elfes*, cat. 63, ou de *Viviane et Merlin*, cat. 67).

À l'arrière-plan, l'architecture de la synagogue de Capharnaüm se distingue avec peine. On devine néanmoins les colonnes massives du sanctuaire qui se répondent trois à trois, et qui reproduisent celles de la gravure. B-H P

Le Calvaire, dit aussi *La Crucifixion*

1877
Huile sur toile
109,8 x 170,2 cm
Strasbourg, musée d'Art moderne et contemporain
Inv. 55.983.1.1
Signé et daté en bas à droite : *Gv. Doré, 1877*

Si le Calvaire compte parmi les thèmes iconographiques fréquemment traités dans la peinture religieuse, l'ampleur que Doré donne ici au sujet est tout à fait inhabituelle. Certes, John Martin avait montré l'exemple quelques années auparavant, avec sa gravure de *La Crucifixion*, éditée en 1834, véritable panoramique. Pourtant Doré avait lui-même proposé en 1866 un cadrage beaucoup plus resserré dans deux gravures illustrant *La Sainte Bible* : *La Mort du Christ* et *Les Ténèbres*, ainsi que dans une lithographie sans date destinée au *Musée français-anglais* représentant la *Crucifixion* (Strasbourg, musée d'Art moderne et contemporain).

L'hommage aux maîtres hollandais du XVIIe siècle transparaît dans cette œuvre dont la composition et l'ambiance lumineuse concourent à conduire le regard vers le Christ. La foule groupée au sommet du Golgotha gesticule avec véhémence. Doré anime et singularise les composants de cette masse monolithique par des touches de couleur sur les vêtements et par des reflets métalliques sur les armures des soldats romains. Au premier plan, à proximité immédiate du spectateur, des visages grimaçants et des cavaliers à contre-jour ajoutent à la tension et à l'effroi ; ils annoncent les compositions magistrales d'un Georges Rochegrosse. Les ténèbres qui s'abattent sur la scène, malgré leur caractère surnaturel (cat. expo. Strasbourg 1983, p. 157, n° 150), doivent à l'intérêt de Doré pour les manifestations atmosphériques, ainsi bien sûr qu'aux peintres de la génération précédente, tels Georges Michel en France ou John Constable en Angleterre.

Le tableau, demeuré dans l'atelier de Doré et inventorié dans la vente de 1885, a pu être acheté en 1983 par le musée de Strasbourg. B-H P

Doré, témoin de son temps

Blanchard Jerrold et Gustave Doré

London, a Pilgrimage

1872
Livre illustré de 180 gravures sur bois
In-folio
Bourg-en-Bresse, musée du monastère royal de Brou
Inv. 981.42 et 1995.12.1 (deuxième exemplaire)

48

Louis Enault et Gustave Doré

Londres

1876
Livre illustré de 174 gravures sur bois
In-quarto
Bourg-en-Bresse, musée du monastère royal de Brou
Inv. 981.39

C'est en Angleterre que Doré, déjà célèbre comme illustrateur, rencontre le succès en tant que peintre. En 1869, un an après l'ouverture de la Doré Gallery à Londres, Jerrold et Doré commencent à travailler sur un guide de la capitale britannique. Protégés par un policier et souvent accompagnés par le chanoine Harford et Émile Bourdelin – chargé des architectures –, ils parcourent la ville durant plusieurs mois. Les images produites sont puissantes par leur constat social mais aussi par leur force dramatique et artistique. Le livre, un des chefs-d'œuvre de Doré, est adapté en français par Louis Enault quatre ans plus tard (voir aussi le texte de Magali Briat-Philippe, p. 43 et suiv.). M B-P

À la porte d'un refuge

Vers 1869
Lavis brun et gouache blanche
32,3 x 23 cm
Bourg-en-Bresse, musée du monastère royal de Brou
Inv. 985.19

Un refuge : les bains

Vers 1869
Lavis brun et gouache blanche
32,3 x 23 cm
Bourg-en-Bresse, musée du monastère royal de Brou
Inv. 985.20

Doré a produit de nombreux dessins de Londres dans ce format, à l'aquarelle ou aux lavis d'encres (cat. expo Strasbourg 1983, n°s 74-80). Ils étaient destinés à des éditeurs potentiels de *London, a Pilgrimage*. Les compositions de ces deux émouvants lavis, à la touche enlevée, furent reprises dans les gravures de l'ouvrage définitif, avec deux personnages supplémentaires dans la partie gauche de la *Porte d'un refuge*. On y voit les miséreux se presser à l'entrée de la maison d'accueil, puis se laver. Une autre gravure célèbre montre *Un prédicateur lisant les Saintes Écritures dans un refuge de nuit*, puisqu'on n'oubliait pas l'éducation religieuse et morale de ceux qui étaient accueillis dans ces établissements.

Contrairement à son ami Hippolyte Taine, qui comparait les ruelles pauvres de Londres à un égout humain[1], Doré, même s'il évoque aussi la délinquance existante, met surtout en avant dans son œuvre les valeurs de travail et de charité. L'Angleterre fut l'un des premiers pays à instaurer un système de charité publique, organisée par les paroisses, suite à l'abolition des ordres religieux par Henri VIII (1531), traditionnellement chargés de l'aide aux plus démunis[2].

M B-P

1. H. Taine, *Notes sur l'Angleterre*, Paris, 1876, p. 36.
2. Voir Anne Brunon-Ernst, « Pauvreté et assistance en Angleterre », *Projet*, n° 279, mars 2004. (www.ceras-projet.com/index.php?id=1456).

51 *Jeunes Musiciennes des rues*

1869-1871
Huile sur toile
112 x 84 cm
Chicago, Driehaus Enterprise Management
Inv. 151507
Signé en bas à gauche : *G. Doré*
Œuvre non exposée

Dans une rue enneigée, une jeune femme joue du violon, accompagnée d'une fillette qui tend la main. Derrière elles se devinent les silhouettes de deux autres fillettes qui jouent avec un chien. Dans ses scènes de genre peintes déclinant ses dessins londoniens, Doré privilégie les figures féminines et les enfants, à la fois plus gracieux et plus émouvants. La compassion du spectateur est ici encore renforcée par la tonalité générale froide du décor. M B-P

Caritas, dit aussi *Jeune Femme et mendiant aveugle*

1870
Huile sur toile
116 x 89 cm
Londres, The Schorr Collection, dépôt au Bowes Museum
Inv. LI. 115/6
Signé en bas à gauche : *G. Doré 1870*

Dans ses souvenirs de voyages, Doré puise une inspiration durable. Ainsi reprendra-t-il des personnages hispanisants et orientalisants de nombreuses années après son séjour ibérique de 1861. C'est le cas sur cette peinture représentant une jeune femme tenant un tambourin, enlacée par un aveugle – peut-être son père, appuyé sur une canne et présentant une sébile. Contrairement aux discours moralisateurs courants à cette époque, qui présentaient les mendiants comme des escrocs et des vagabonds paresseux, Doré fait naître la compassion. Il accentue pour cela le contraste entre l'infirmité du vieil homme et la beauté grave de la jeune fille, dont le regard nous saisit par sa tristesse résignée. Son visage, à la pose très frontale, évoque les portraits du Fayoum, peints en Égypte entre le Ier et le IVe siècle après Jésus-Christ. Les costumes chamarrés et les bijoux imposants rappellent ceux portés par les gitans, également appelés Égyptiens à cette époque. M B-P

G. Doré
1870

53 *Mendiants de Burgos*

1875
Huile sur toile
64 x 119 cm
Lyon, galerie Michel Descours
Signé en bas à droite : *G. Doré / 1875*

Doré, fasciné par la culture ibérique comme beaucoup d'artistes du XIXe siècle, était allé en Espagne en 1855, 1861-1862 et 1870. Ce tableau, représentant des mendiants à Burgos, est daté de 1875. Cette superbe ville, berceau de la Vieille Castille, avait été visitée par Davillier et Doré en 1855 mais Doré en fit davantage de croquis dans les années 1860-1870.

Plusieurs œuvres sont dans le même esprit que celle-ci, reprenant une frise de mendiants, assis ou debout sur un trottoir, dans des attitudes et des costumes variés, devant un mur lépreux. On peut citer une gouache aquarellée au Museum of Fine Arts de Boston, datée de 1871 et située à Burgos par une inscription, esquisse inversée de cette peinture (reproduite dans Zafran 2007, fig. 166), et une autre dans une collection particulière, sur laquelle deux dames élégamment vêtues de noir font l'aumône aux mendiants.

Achetée à Uppsala (Suède) en 2011, la peinture a été restaurée récemment. M B-P

54 *Sieste espagnole*

Vers 1875
Huile sur panneau et esquisse à la plume
12 x 22 cm
Lyon, galerie Michel Descours
Signé en bas à droite : *G. Doré*

Sur cette petite peinture, Doré reprend sa composition classique en frise avec des personnages sur un trottoir, mais ici allongés pour faire la sieste. De plus, il introduit un point de fuite marqué vers la gauche, qui confère originalité et modernité à la scène. L'effet de perspective fuyante est encore accentué par la bipartition chromique entre l'horizon bleu ciel d'une part et le trottoir blanc d'autre part. Les coloris et les raccourcis évoquent *Les Contrebandiers espagnols* conservés à Richmond (fig. 12, p. 49), eux-mêmes déclinés sur un dessin (collection particulière, Renonciat 1983, p. 111). En revanche, le même thème a été peint de manière fort différente par Doré sur d'autres œuvres (tableau conservé à Tokyo, fig. 13, p. 51). M B-P

Portrait de la fille du graveur Hédouin

Sans date
Aquarelle sur carton
35,8 x 27,3 cm
Pontoise, musée Tavet-Delacour
Inv. D.1899.10.1
Signé et dédicacé en bas à gauche : *A mon ami Edm. Hédouin*

On sait, grâce à l'inventaire du musée de Pontoise[1], qu'il s'agit de la fille d'Edmond Hédouin (1820-1889). Celui-ci, graveur et peintre, lithographia des tableaux de Millet, Bouchet, Bida, etc., notamment pour *L'Artiste*, et réalisa des peintures décoratives au Théâtre-Français et au Palais-Royal.

Le portrait de sa fille est à la fois moderne et romantique. Elle est audacieusement montrée de trois quarts dos, assise sur un banc, et tournée pensivement vers des montagnes enneigées. Doré sculpte la scène avec une touche très libre. Les bleus et les blancs sont étagés, donnant une allure rayée à l'ensemble de la composition et mettant en valeur l'élégance de sa tenue. Doré a laissé de rares mais délicats portraits de jeunes femmes, par exemple les *Ladies en calèche* à l'aquarelle[2] ou encore certains portraits peints à l'huile, dont celui de Sarah Bernhardt[3]. M B-P

1. *De Véronèse à Matisse, dessins et aquarelles des musées de Pontoise*, catalogue d'exposition sous la direction de Christophe Duvivier, Paris, 2010, p. 98.
2. Collection particulière, reproduit dans Renonciat 1983, p. 256-257.
3. Cat. expo Strasbourg 1983, n° 85, collection particulière et musée de Budapest ; Renonciat 1983, p. 259.

Scène de bombardement de Paris, dit *Déménagement sous le bombardement*

1871
Plume et aquarelle sur papier
64,5 x 97,5 cm
Mulhouse, musée des Beaux-Arts
Inv. D.71.2.70
Signé en bas à droite : *G. Doré*

Lors de la guerre franco-prussienne, Paris sera assiégé du 19 septembre 1870 au 29 janvier 1871. Durant l'hiver, les Allemands achèvent l'installation de leur artillerie de siège et pilonnent quotidiennement les ouvrages de Châtillon, Vanves, Issy, ainsi que les quartiers de Paris situés rive gauche.

C'est à cet endroit que Gustave Doré campe l'action de son œuvre, comme l'indique la plaque de voie : Rue Campagne Première. Ce choix n'est pas anodin, puisqu'il renvoie à la cachette de Jules Vallès, située au numéro 21, chez son ami le sculpteur François Roubaud. Vallès demandait aux Parisiens de rejeter le gouvernement du 4 septembre 1870 et de se mobiliser afin de repousser l'envahisseur. Fondateur de la Commune, Vallès sera menacé de mort lors de la « semaine sanglante » et condamné à l'exil. À travers ce nom de rue, Gustave Doré veut peut-être nous montrer sa sympathie envers la Commune ou plus simplement envers tous les défenseurs de la liberté d'expression.

Sur un fond de paysage urbain, le peintre représente la population parisienne fuyant les combats. Les personnages ont la tête basse et le pas lent, leur marche unilatérale fait penser à un cortège funèbre. Dans le groupe, on distingue des blessés, de nombreux enfants et des gardes civils identifiables à leur casquette. En raison du froid hivernal, beaucoup sont vêtus de couvertures qui les font ressembler d'avantage à des spectres qu'à des êtres humains. Ils transportent avec eux de maigres effets et convoient les malades sur des brancards de fortune. Le centre de la composition est occupé par une carriole transportant des chaises, des couvertures et surtout un enfant alité, seule partie achevée de l'œuvre. Au premier plan, on retrouve la religieuse de la peinture *Sœur de charité sauvant un enfant* (**cat. 61**). Celle-ci est identique en tout point et prouve, si besoin est, que le peintre travaille sa mise en scène et dramatise volontairement son sujet au point de réutiliser son modèle.

Malgré ce remploi, le dessin demeure réaliste et traduit bien le sentiment de détresse exprimé par Gustave Doré dans une lettre qu'il adressa le 13 septembre 1870 au chanoine Harford : « L'ennemi est aux portes de Paris et d'un moment à l'autre nous pouvons nous trouver dans l'horreur du premier bombardement. Notre malheur est immense et notre angoisse terrible. Comment pourrons-nous jamais sortir de cet abîme de sang et d'abandon dans lequel est plongée notre pauvre France[1] ?… » JP

1. Roosevelt 1887, p. 361.

Une sortie devant Sébastopol

Vers 1855
Huile sur toile
98 x 128 cm
Nancy, musée des Beaux-Arts
Signé en bas à droite : *Gve Doré*
Annoté en bas à gauche : *Atelier / G. Doré*

Sous l'impulsion du tsar Nicolas Ier, la Russie souhaite s'installer à Constantinople pour accéder au détroit du Bosphore et s'assurer le contrôle du commerce en mer Méditerranée. Annexant de force les territoires de l'Empire ottoman avoisinants et menaçant la route des Indes contrôlée par le Royaume-Uni, elle devient l'ennemi de la France et de l'Angleterre. Devant ces événements, l'empereur Napoléon III déclare la guerre à la Russie le 27 mars 1854, pour briser son isolement diplomatique qui a suivi la proclamation de l'Empire et affirmer son pouvoir.

Le conflit débute par une longue observation des deux factions. Après un premier retrait des troupes russes, les Franco-Britanniques attaquent la Crimée, afin de s'emparer d'une puissante base navale à Sébastopol. Un siège de presque un an s'engage alors et va conduire les Français à la victoire, mais au prix de très lourdes pertes.

Gustave Doré choisit de représenter le camp russe, tentant de sortir de la ville assiégée. Au clair de lune, les troupes russes, reconnaissables à leurs capotes grises et leurs couvre-chefs, s'élancent, baïonnette au fusil, par vagues successives. Elles vont à la rencontre de l'assiégeant, à peine perceptible et comme acculé à la droite du tableau. Durant l'assaut, des soldats meurent, d'autres sont blessés et certains s'enfuient. On distingue au fond à gauche les troupes alliées, le feu des canons et au premier plan quelques zouaves habillés de leurs traditionnels sarouals et chéchias rouges, harcelant les soldats russes.

Les colonnes de militaires semblent se perdre au loin ; pour Gustave Doré, les hommes ne sont plus qu'une masse qui déferle. La lune, tel un œil omniscient, devient le seul témoin du massacre. Sa présence confère à l'œuvre une atmosphère quasi surréaliste, et accentue la blancheur de la neige, sur laquelle apparaît le sang versé, qu'il soit français ou russe.

Même si Gustave Doré n'est pas considéré comme un peintre de batailles, c'est un genre qu'il admire et auquel il s'adonne régulièrement dans ses illustrations. La guerre de Crimée sera l'occasion pour de nombreux artistes d'exprimer leur patriotisme, mais aussi de plaire au gouvernement. À ce titre, Gustave Doré réalisera trois peintures : *La Bataille de l'Alma* (Salon de 1855), *La Bataille d'Inkermann* (1856-1858) et *Une sortie devant Sébastopol*. J P

L'Énigme

1871
Huile sur toile
130 x 195,5 cm
Paris, musée d'Orsay
Inv. RF 1982 68
Signé et daté en bas à droite : *Gve Doré 1871*

Entre juillet 1870 et le printemps 1871, les artistes choisissent de représenter la guerre par des épisodes narratifs tels que la fuite des populations, les bombardements, ou par des allégories mettant à l'honneur leur indéfectible patriotisme, malgré le conflit qui s'annonce déjà perdu.

Après l'invasion prussienne, Gustave Doré s'installe à Versailles. Il réalise en 1871 trois grandes grisailles allégoriques : *L'Énigme*, *L'Aigle noir de Prusse* (cat. 59) et *La Défense de Paris* (cat. 60), ayant pour point commun la Victoire ailée des premières œuvres du conflit mais cette fois-ci dans une position de défaite. Cette production est le témoignage édifiant d'un artiste qui a perdu sa patrie. Pour preuve l'exposition au Salon de 1872 du très grand tableau *L'Alsace meurtrie* (cat. 62).

De cette série de peintures intitulée plus tard *Souvenirs de 1870*, *L'Énigme* est la plus tragique. Au premier plan apparaît une colline jonchée de cadavres tandis qu'au fond, Paris s'embrase sous le feu des canons ennemis. Au milieu de ce spectacle de désolation et de mort surgissent deux silhouettes : une Victoire et un sphinx. La créature ailée, sans doute l'incarnation de la France, semble implorer le monstre mais également l'interroger d'un énigmatique : « Pourquoi ? » Elle porte une couronne de laurier, symbole de la victoire et de la sagesse chez les Grecs. Deux notions dérisoires devant le spectacle qui s'offre à nos yeux.

Gustave Doré choisit de peindre un sphinx égyptien sur le champ de bataille, peut-être parce que celui-ci est le gardien de l'au-delà. Néanmoins le titre de l'œuvre renvoie directement au Sphinx de la mythologie grecque et aux énigmes qu'il posait aux voyageurs sous peine de les dévorer. En raison du sujet qui le touche et probablement de son mal-être grandissant en tant qu'artiste, Gustave Doré transcende l'allégorie et nous offre une vision pessimiste du monde et de l'homme.

Lors de la vente posthume des œuvres du peintre, *L'Énigme* était accompagnée de ces deux vers de Victor Hugo issus du poème « À l'Arc de triomphe » (*Les Voix intérieures*, 1837) et ayant probablement inspiré Gustave Doré[1] :

« Ô spectacle ! Ainsi meurt ce que les peuples font !
Qu'un tel passé pour l'âme est un gouffre profond ! »

J P

1. Dominique Lobstein, « L'Année terrible », dans *1789-1945 L'Histoire par l'image* (www.histoire-image.org).

L'Aigle noir de Prusse

1871
Huile sur toile
130 x 195 cm
New York, Dahesh Museum of Art
Inv. 2002.60
Signé et daté en bas à droite : *Gve Doré / 1871*
Œuvre non exposée

Doré reprend l'ange symbolisant la patrie, qui encourageait les Français à prendre les armes dans *La Marseillaise* ou *Le Chant du départ* de 1870, compositions héritières d'Eugène Delacroix et François Rude[1]. Cette allégorie de la France, coiffée d'un discret bonnet phrygien, est à terre, l'épée brisée, protégeant le corps d'un soldat. Elle fixe un grand aigle noir, symbole de l'Empire germanique, qui fonce sur elle. Il existe une esquisse, moins aboutie et moins dramatique que le tableau final[2]. Une gravure d'après le tableau est également connue[3]. Le clair-obscur, accentué par la technique de la grisaille, donne un aspect très angoissant à la scène. M B-P

1. Collections particulières, cat. expo Strasbourg 1983, n°s 89 et 90.
2. Collection particulière, cat. expo Strasbourg 1983, n° 103.
3. Musée Goupil, Bordeaux, Zafran 2007, ill. 50.

La Défense de Paris

1871
Huile sur toile
194 x 130 cm
New York, Vassar College Art Gallery
Signé en bas à gauche : *Gve Doré*
Œuvre non exposée

Le troisième volet du triptyque *Souvenirs de 1870* est, logiquement, de mêmes dimensions que les deux autres (cat. 58 et 59). De format vertical, *La Défense de Paris* était présentée au centre. De plus, les trois tableaux forment par leur tonalité générale, un triptyque «bleu-blanc-rouge» reconstituant le drapeau national, tenu par l'allégorie. La Patrie, couronnée de lauriers, est debout, ses bras écartés tenant le drapeau enroulé, devant une porte en bois attaquée par des impacts de tirs, parmi des soldats et des civils. La présence à ses pieds d'une mère serrant son enfant contre elle, de soldats enjambant les corps des morts ou achevant l'un d'entre eux mortellement blessé, rend la représentation réaliste et macabre.

Doré, engagé comme garde national, parcourait Paris dévasté avec son crayon et son fusil. Il fut très impressionné par le spectacle désolant de la capitale, comme le rapporte Bourdelin[1] : « Durant les longues promenades que nous faisions quelquefois à cette époque, au milieu de tous les débris que cinq mois de siège avaient amoncelés sur les remparts et aux environs de Paris, Doré causait fort peu [...]. Il avait toujours en tête un projet de dessin ou de tableau. Il le composait en marchant ; il recueillait à la course tous ses documents ; il se rappelait les paysages. Et le soir, à la lumière de la lampe, l'œuvre naissait d'un jet et sans retouche. » M B-P

1. Cité par Roosevelt 1887, p. 288-289.

Sœur de charité sauvant un enfant

1871
Huile sur toile
97 x 130 cm
Le Havre, musée d'art moderne André Malraux
Inv. 1972.31
Signé en bas à gauche : *Gve Doré*

Cette œuvre fait partie d'une série consacrée à la guerre franco-prussienne et évoque le siège de Paris de septembre 1870. À cette époque, cet événement rappelle douloureusement à Gustave Doré le siège de Strasbourg, sa ville natale, survenu au mois d'août. Ainsi, le peintre décide de rester à Paris assiégé et s'enrôle dans la garde nationale. Tout en servant aux environs de la capitale, il parvient à dessiner les escarmouches et la vie quotidienne des soldats.

De cette expérience naîtra cette œuvre, l'une des plus réalistes de Doré[1]. Contrairement à ses autres travaux traitant de la guerre de 1870, cet épisode semble être issu d'une observation directe. Ici, point de groupes d'individus savamment agencés, mais uniquement trois personnages : un homme blessé, peut-être un garde national fuyant les combats que l'on aperçoit au loin et une sœur de charité emportant dans ses bras un enfant. Celui-ci est recouvert d'une couverture pour échapper au froid de la nuit hivernale mais également aux horreurs de la guerre puisque la couverture lui masque le visage. La sœur semble mettre un point d'honneur à sauver cette âme pure et préfère conduire l'enfant à l'abri plutôt que de porter secours au soldat blessé. Le chapelet qui pend à sa ceinture rappelle sa foi. L'enfant, quoique déjà grand, est porté très haut par la religieuse comme s'il fallait mettre une distance entre lui et le sol jonché d'éclats d'obus et taché de sang. On retrouve souvent dans l'œuvre de Doré cette fascination pour l'enfant porté, notamment dans ses représentations d'indigents.

Devant la multitude de symboles, la recherche d'effets dramatiques et l'ambiance fantastique qui se dégage de la toile, tout semble indiquer que Gustave Doré a quelque peu modifié la scène dont il a peut-être été témoin. J P

1. Voir Riand 2011 et texte M B-P, p. 50 et 51

L’Alsace meurtrie

1871
Huile sur toile
350 x 180 cm
Colmar, conseil général du Haut-Rhin
Signé en bas à droite : *Gve Doré*

En 1871, Gustave Doré est profondément marqué par la perte de l’Alsace et de la Lorraine. Lors de la Commune, il se réfugie avec sa mère à Versailles, où il exécute une série de croquis qui seront publiés à titre posthume sous le titre *Versailles et Paris en 1871* (1907).

En 1872, il expose au Salon le tableau intitulé *L’Alsace meurtrie*. À l’instar de nombreux artistes alsaciens tels que Emmanuel Benner ou Paul Dubois, Doré veut exprimer son amertume et sa colère, liées à la perte de sa province natale. L’Alsace, représentée sous les traits d’une jeune femme en costume traditionnel, serre contre elle le drapeau français ; à ses côtés on aperçoit dans l’ombre la mère de celle-ci étreignant son petit-fils. Au-delà de la représentation tragique de cette femme devenue veuve et de son fils désormais orphelin, il faut voir la perte de leur identité. En effet, le traité de Francfort du 10 mai 1871 imposait aux Alsaciens-Lorrains un choix cornélien : quitter la région et rester français ou garder leur maison et devenir allemands. Environ cent cinquante-neuf mille Alsaciens-Lorrains opteront pour la nationalité française et plus de cinquante mille laisseront derrière eux logement, travail et amis.

L’Alsace meurtrie est plus qu’une allégorie de la guerre, ou même de l’Alsace. C’est un questionnement sur nous-mêmes. Sommes-nous des patriotes ? Jusqu’où irions-nous pour la France ? Cette seconde lecture de l’œuvre témoigne de l’ambition de Gustave Doré d’accéder au statut d’artiste peintre. J P

L'imaginaire romantique

Forêt nocturne avec des elfes

Années 1860
Huile sur toile
81 x 65 cm
Cherbourg-Octeville, musée Thomas-Henry
Inv. MTH 2006.0.58
Signé en bas à droite : *G. Doré*

Sur cette peinture, Doré représente une forêt, dont les arbres se découpent sur un ciel rougeoyant. Parmi les conifères, on distingue de petites créatures étranges, affublées de coiffes et de costumes dans le goût du XVIIe siècle, certaines juchées sur des chimères mi-chameaux mi-ânes, d'autres ailées, tandis que d'autres encore, sur la droite de la composition, jouent de la musique. Les contes de fées traditionnels sont repris au XIXe siècle avec une puissance imaginative et sublimée typique du romantisme. La forme du conte est développée dans un esprit moins moralisateur, laissant plus de place au rêve et aux créatures fantastiques (Novalis, Hoffmann…). C'est dans ce contexte que les peintres, en particulier les préraphaélites anglais mais pas seulement, vont se saisir du mythe des fées et des elfes pour les représenter[1]. Les illustrations des *Contes* de Perrault par Doré se situent également dans cette mouvance féerique, comme *Les Idylles du roi* de Tennyson **(voir cat. 67)**, ainsi qu'un dessin intitulé *Le Pays des fées*[2]. M B-P

1. Cat. expo Daoulas 2002.
2. Collection particulière, reproduit dans Valmy-Baysse 1930, p. 128, et dans le cat. expo Strasbourg 1983, n° 63).

Entre ciel et terre

1862
Huile sur toile
61 x 51 cm
Belfort, musée d'Art et d'Histoire, dépôt du musée d'Orsay
Inv. D.25.2.10
Signé et daté en bas à gauche : *Gve Doré / 1862*

Une grenouille, attachée par la patte à un cerf-volant, est attaquée par une cigogne. Un autre cerf-volant vole plus bas dans les airs, déchiqueté. En contrebas au loin, on distingue la cathédrale de Strasbourg, entourée de minuscules personnages, dans une vertigineuse contre-plongée comme les affectionne Doré. Cette composition, féerique, chimérique, évoque un « rêve d'enfance » selon l'expression d'Annie Renonciat[1].

Évoquant la cruauté humaine, la scène confronte de manière spectaculaire deux espaces, terrestre et aérien. Lemercier de Neuville, en 1861, la décrit comme une audacieuse « pochade d'atelier » (p. 20-21). Il semblerait pourtant qu'il s'agisse d'un authentique passe-temps des Strasbourgeois[2]. La composition a été reprise par Doré dans son *Album* de douze lithographies publié en 1862 (musée du monastère royal de Brou, inv. 966.75 à 86). Enfin, les premières photographies aériennes, réalisées par Nadar, ami de Doré, ont pu également l'inspirer. M B-P

1. Renonciat 1983, p. 134-135.
2. Viktoria von der Brüggen, « Paysages rêvés », catalogue d'exposition *L'Alsace pittoresque*, musée d'Unterlinden, Colmar, 2011, p. 268.

Le Sculpteur

Vers 1866 ?
Huile sur toile
128 x 96 cm
Arnhem, musée d'Art moderne (MMKA)
Inv. GM 05049
Signé en bas à droite : *Gve Doré*

Cette huile sur toile fut donnée au musée d'Arnhem par Alexander Ver Huell (1822-1897), dessinateur et collectionneur hollandais, qui l'avait achetée à Gustave Doré. Elle représente Erwin von Steinbach (1244-1318) sculptant la cathédrale de Strasbourg, inspiré par les anges. La tombe de cet architecte loué par Goethe dans *L'Architecture allemande* (1772), fut redécouverte en 1816, encourageant son culte : en 1866, le portail sud de la cathédrale fut orné de deux statues de Philippe Grass le représentant ainsi que sa fille Sabine (originaux au musée de l'Œuvre Notre-Dame). La peinture de Doré témoigne du mythe romantique de l'artiste médiéval, loin de toute réalité historique. Les grands anges descendant en serpentin du ciel sont un motif courant dans l'œuvre peint et gravé de Doré. Ils sont ici prolongés visuellement par la balustrade découpée du balcon. Comme souvent chez Doré, le contraste entre les parties claires et sombres du tableau est important ; la forêt de clochers en arrière-plan se détache sur un ciel embrasé. Quant à la position du sculpteur, défiant le vide en haut du célèbre édifice gothique, elle fait penser aux exploits d'acrobate de Doré, au sommet de la cathédrale de Rouen[1]. Certains auteurs, postérieurs, évoquent aussi des acrobaties sur la cathédrale de Strasbourg, mais en relatant moins précisément les faits.

M B-P

1. Lemercier de Neuville 1861, p. 5-7.

Le Combat (scène du ***Roland furieux*** de l'Arioste)

1862
Fusain, plume, encre noire, rehauts de gouache blanche sur papier beige
49,5 x 64,5 cm
Bourg-en-Bresse, musée du monastère royal de Brou
Inv 984.10

Ce dessin de 1862 montre que Doré s'intéressa au *Roland furieux* (*Orlando furioso*) de l'Arioste bien avant d'en illustrer l'édition de 1879. Ce poème italien publié en 1516, inspiré de l'histoire du héros médiéval Roland, connut une postérité immense auprès des artistes.

La princesse Angélique est enlevée par des pirates et livrée à un monstre, mais le chevalier sarrasin Roger, monté sur un hippogriffe, la libère à l'aide d'un bouclier et d'un anneau magiques. Pendant ce temps, le chevalier français Roland, amoureux d'Angélique, croit la délivrer d'un monstre, mais il s'agit en fait d'une autre captive, Olympie. Angélique tombe amoureuse d'un soldat sarrasin blessé, Médor, qu'elle soigne puis épouse. Lorsque Roland découvre leur amour, il devient fou furieux. Il part alors combattre et accomplit de nombreux exploits contre les Sarrasins, dont l'armée de Charlemagne triompha finalement. Roger quant à lui ne peut épouser Bradamante, à cause d'une prophétie qui prédit sa propre mort à la naissance de leur enfant.

Sur ce dessin, Doré s'inspire librement d'un passage du chant XI[1], moment où Roger se lance à la poursuite du géant qui enlève Bradamante et son cheval : « Roger reconnaît le visage découvert de sa douce, belle et très chère dame Bradamante, et il voit que c'est à elle que l'impitoyable géant veut donner la mort. Aussi sans perdre une seconde, il l'appelle à la bataille et apparaît soudain, l'épée nue. Mais le géant, sans attendre un nouveau combat, prend dans ses bras la dame évanouie. Il la place sur son épaule et l'emporte. Ainsi fait le loup pour le petit agneau ; ainsi l'aigle saisit dans ses serres crochues la colombe ou tout autre oiseau. Roger voit combien son intervention est urgente, et il s'en vient, courant le plus qu'il peut ; mais le géant marche si vite et à pas si longs, que Roger peut à peine le suivre des yeux. »

M B-P

1. Poiret 1995

Viviane et Merlin

Vers 1867
Huile sur toile
171 x 122 cm
Londres, Whitford Fine Art
Signé en bas à gauche : *G. Doré*

Cette peinture est une variation du dessin préparatoire à une gravure illustrant un vers du poème « Viviane » d'Alfred Tennyson : « At Merlin's feet the wily Vivien lay » (Aux pieds de Merlin est étendue l'astucieuse Viviane). Ce lavis (voir fig. ci-contre), signé, est conservé au musée d'Art moderne et contemporain de Strasbourg, dont il existe une autre version dans la collection Roberta Olsen et Alexander Johnson, New York[1].

La trilogie des *Idylles du roi,* Elaine, Viviane et Guenièvre, parue à Londres en 1859, fut illustrée par Doré et publiée à Londres en 1867, puis à Paris en 1868[2], gravées par des Anglais.

Sur la peinture comme sur le dessin et l'estampe, on voit sous un arbre de la forêt de Brocéliande l'enchanteur Merlin, avec une longue barbe blanche lui donnant un air de sagesse, auprès de la fée Viviane. Celle-ci a réussi à le séduire pour lui soutirer ses secrets de magie et va lui jeter un sort pour l'attacher éternellement à elle. Outre l'inversion normale de la scène, il y a des différences notables entre la version dessinée et la version peinte : sur la première, la forêt est épaisse et profonde, alors que sur la seconde elle est percée par une clairière en arrière-plan, les arbres se découpant sur un ciel rougeoyant. Tandis que sur le dessin et l'estampe Viviane et Merlin sont comme encerclés par les racines noueuses du vieil arbre, la fée langoureusement étendue sur les genoux du magicien, sur la peinture, les racines sont derrière Merlin et Viviane se tient à distance respectueuse, dans l'attitude d'une Vierge sage. Enfin, la peinture donne plus d'importance aux arbres, qui écrasent les personnages relégués dans la partie inférieure de la composition. M B-P

Dessin illustrant un vers du poème « Viviane » d'Alfred Tennyson : « At Merlin's feet the wily Vivien lay » (Aux pieds de Merlin est étendue l'astucieuse Viviane),
lavis avec rehauts de gouache sur traits de plume et d'encre noire sur papier.

1. Zafran 2007, ill. 133.
2. Musée du monastère royal de Brou, Bourg-en-Bresse, inv. 981.60 et 61 ; Poiret 1992, nos 126 et 127). Chacun des ouvrages comprenait neuf planches hors textes.

Andromède

Vers 1861
Huile sur toile
75,5 x 41,5 cm
Collection particulière
Non signé, non daté

Cassiopée, épouse du roi d'Éthiopie, proclama un jour que sa fille Andromède était de beauté comparable aux Néréides. Poséidon, vexé de cet affront, provoqua un gigantesque raz-de-marée et envoya un monstre marin afin de détruire le royaume.

Pour calmer la colère du dieu, Andromède fut ligotée nue à un rocher et présentée en offrande au monstre marin. Au même moment, Persée, qui revenait de sa victoire sur la Gorgone Méduse, trouva Andromède fort belle et décida de la libérer avant de l'épouser.

Andromède est l'un des sujets mythologiques les plus représentés par les artistes.

Dans son tableau, Gustave Doré va à l'essentiel et se contente de peindre la jeune femme enchaînée au rocher, les flots venant lui lécher les pieds. Cette composition épurée permet de magnifier la nudité d'Andromède. À cela le peintre ajoute un fort contraste entre la carnation très blanche du corps et les tons froids du rocher et de l'océan. La verticalité d'Andromède, la propension de son corps à occuper tout l'espace mais également sa mise en scène peuvent nous faire penser à certains nus très en vogue au XIXe siècle, tels que ceux de Jean-Auguste-Dominique Ingres, Théodore Chassériau ou encore Amaury Duval. Même si Gustave Doré a très peu peint la mythologie, cette thématique renvoie à sa jeunesse et aux lectures classiques que lui imposait son père pour parfaire son éducation.

Cette peinture s'inspire probablement d'un dessin conservé dans une collection particulière, représentant l'héroïne dans la même posture mais entourée de deux protagonistes : le monstre marin surgissant des flots et Persée fondant sur la créature, épée à la main. Dans une approche plus classique, Gustave Doré a également réalisé une très grande peinture d'Andromède, conservée au musée de Chi Mei de Taïwan.

JP

Le Petit Poucet retirant les bottes de l'ogre

1863
Mine de plomb sur papier
18,5 x 20 cm
Bourg-en-Bresse, musée du monastère royal de Brou
Inv 974.4
Signé et daté en bas à droite : *G. Doré, 1863*

C'est la reprise inversée de la scène qui figure en frontispice des *Contes* de Perrault, illustrée par Doré ; elle orne les murs de la pièce où la grand-mère lit pour ses petits-enfants. Mais il ne s'agit pas d'un dessin préparatoire à l'édition puisqu'il lui est postérieur d'un an.

La composition, qui montre l'ogre allongé dans un formidable raccourci et le Petit Poucet au premier plan, diffère de celle du livre, représentant la même scène, p. 10, où les deux personnages sont dessinés de profil. M B-P

La Chanson du vieux marin, de Samuel Coleridge

1877
Livre illustré de 158 gravures sur bois
In-folio : 50,7 x 38,8 cm
Bourg-en-Bresse, musée du monastère royal de Brou
Inv 981.34

Reconnu en Grande-Bretagne, Doré fut invité à illustrer plusieurs ouvrages en anglais, qui furent ensuite traduits : *London, a Pilgrimage* de Jerrold (cat. 47 et 48), *Les Idylles du roi* de Tennyson (cat. 68), ou encore *The Rime of the Ancient Mariner*, de Samuel Coleridge (1772-1834), parue en 1875 en anglais et deux ans plus tard en français. Cette épopée fantastique narrée par un marin hanté par le meurtre d'un albatros, ne pouvait qu'inspirer Doré le visionnaire romantique, qui en tire des compositions qui resteront parmi ses plus magistrales. M B-P

Et pas un saint ne prit pitié / De mon âme à l'agonie

illustration pour *The Rime of the Ancient Mariner*

1875
Plume, lavis d'encre et rehauts d'aquarelle sur papier
49 x 37 cm
Paris, galerie Elstir
Signé en bas vers le milieu : *G. Doré*

Cela fit refluer le sang à ma tête si fort / Que je tombai évanoui sur le pont

illustration pour *The Rime of the Ancient Mariner*

1875
Plume, lavis d'encre et rehauts d'aquarelle sur papier
49 x 37 cm
Paris, galerie Elstir
Signé en bas à droite : *G. Doré*

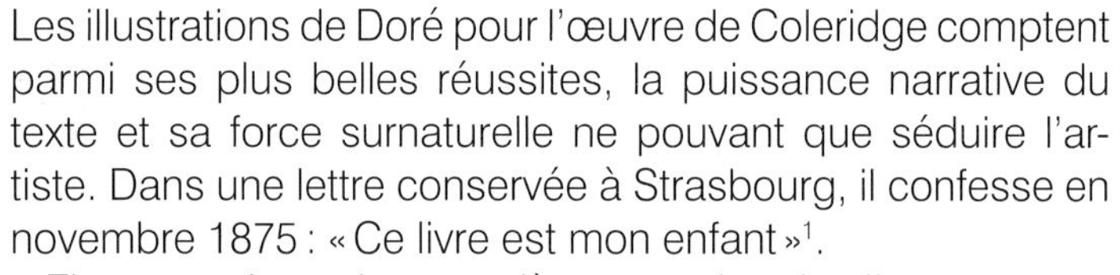

Les illustrations de Doré pour l'œuvre de Coleridge comptent parmi ses plus belles réussites, la puissance narrative du texte et sa force surnaturelle ne pouvant que séduire l'artiste. Dans une lettre conservée à Strasbourg, il confesse en novembre 1875 : « Ce livre est mon enfant »[1].

Figurant dans la quatrième partie de l'ouvrage, la planche 16 montre le désespoir du marin parmi les membres de son équipage : « Tant d'hommes, tant d'hommes si beaux ! Ils gisaient là, tous morts, et mille choses visqueuses vivaient autour ; et moi aussi je vivais. » En proie aux affres de cette terrible solitude, le marin invoque une clémence céleste capable de mettre fin à « l'inexplicable survie solitaire » (cat. expo. Strasbourg 1983, p. 261). Contre lui est attaché le cadavre de l'albatros innocent qu'il a tué sans raison, cause de tous ses malheurs. Avec maestria, Doré saisit la portée onirique du récit et construit une image terriblement évocatrice.

Le dessin a été reproduit en 1885 par Blanche Roosevelt comme datant de 1875 et appartenant alors au révérend Frederick Harford, chanoine de l'abbaye de Westminster et ami de Gustave Doré[2]. Comme le suivant, il fut acquis par Camille Gronkowski, conservateur au musée du Petit Palais et commissaire de l'exposition rétrospective de 1932, où ils figurèrent sous le n° 193. B-H P

1. Cité par Kaenel 2005, p. 149.
2. Roosevelt 1887, illustration hors texte p. 297.

La planche 24 de la cinquième partie du poème de Coleridge présente le marin étendu, comme écartelé dans les cordages à la proue du navire. L'imagination exaltée de Doré se fonde ici sur une connaissance parfaitement maîtrisée de l'objet de la représentation. À l'image de Jean-Paul Laurens qui parcourait les musées et consultait une documentation fournie pour illustrer les *Récits des temps mérovingiens* d'Augustin Thierry (1887), Gustave Doré s'est appuyé sur un ensemble de croquis de navires et de gréements réalisés sur les côtes normandes. Un carnet de ses croquis conserve sur l'une de ses feuilles cette même proue de navire, dans une mise en page très similaire et comportant déjà la plus grande part des détails visibles sur l'illustration finale : cordages, chaînes, ancres (reproduit dans cat. expo. Strasbourg 1983, p. 259, n° 431).

Sur l'historique de ce dessin se référer à la notice précédente. B-H P

72 *La Parque et l'Amour*

1877
Terre cuite modelée
57,5 x 35,5 x 33,5 cm
Bourg-en-Bresse, musée du monastère royal de Brou
Inv. 984.11
Signé en bas à droite, au-dessus de la bobine de fil : *Gve Doré*

Au Salon de 1877, Gustave Doré se présente pour la première fois en tant que sculpteur. Il expose un groupe en plâtre, plus grand que nature, mesurant 2,30 mètres de haut intitulé *La Parque et l'Amour*. L'œuvre provoque étonnement et admiration de la part du public mais laisse indifférent le jury du Salon et la presse, au grand dam de l'artiste. À partir de ce modèle, il réalise plusieurs réductions en terre cuite, la plus petite étant celle acquise par le musée du monastère royal de Brou.

Cette sculpture oppose deux figures de sexe et d'âge différents. L'Amour, représenté sous les traits d'un adolescent ailé, délaisse son carquois de flèches et son arc, qu'il devait tenir de la main droite, pour s'adosser contre une vieille femme drapée et assise. Celle-ci, nommée Atropos, est la plus âgée des trois Parques et peut donner la mort en coupant le fil de la vie à l'aide de sa paire de ciseaux. En cela, elle représente la mort qui vient inéluctablement, comme semble nous le rappeler le sablier déposé aux pieds des deux personnages.

Dans une lettre à un ami datée du 13 juillet 1877, Doré nous donne sa source d'inspiration : « Je ne me souviens plus si c'est dans le livre de L'Ecclésiaste ou dans celui des Proverbes que j'ai lu cette ligne qui m'a frappé : "Nous commençons à mourir le jour où nous aimons." [...] L'amour qui ne tue pas n'est pas l'amour, ce n'est que le froid libertinage. L'amour grand, pur, honnête lui-même, ne doit-il pas nous user et abréger nos jours puisqu'il nous absorbe tout entier en nous faisant accepter avec joie tous les sacrifices[1] ? »

Ayant connu puis perdu le grand amour dans sa jeunesse, Gustave Doré aura plusieurs aventures tout au long de sa vie, notamment avec la comédienne Sarah Bernhardt à qui il enseignera la sculpture peu avant de mourir. JP

1. Nadine Lehni, « Gustave Doré », dans *Revue du Louvre*, Paris, n° 4, 1987, p. 288.

73 *Dante, avec personnages*

Huile sur toile
90 x 140 cm
Collection particulière
Signé en bas à droite : *Gve Doré*

Dans cette œuvre, Doré rend hommage à Dante Alighieri. Le poète vêtu de sa toge et de son bonnet rouges marche d'un air pensif sur un pont. Derrière lui, trois personnages le suivent et semblent contrariés. Le personnage du milieu se tient le visage dans la main et pleure. L'un de ses compagnons le réconforte et se retourne en menaçant d'un poing rageur. Tandis que le dernier se retourne plus timidement par peur ou à regret. Autour d'eux des personnages apparaissent abattus ou en colère.

Roland Marthaler avance l'hypothèse qu'il s'agirait de l'épisode précédant l'exil de Dante. Homme politique très actif à Florence en 1300, il occupe la fonction de prieur et rend justice. Associé aux guelfes blancs qui prônent une plus grande autonomie de la ville au détriment du pape, Dante se voit contraint de quitter Florence lorsque la ville tombe aux mains des guelfes noirs en 1301. Faction dévouée au pape, ils confisquent ses biens et le bannissent. Sans ressource, il lutte contre la misère, voyage de ville en ville et ne reviendra plus jamais à Florence. Très vite, il fait de son malheur une force et utilise régulièrement comme exemple la lutte fratricide des guelfes pour décrire les différents enfers de son futur chef-d'œuvre, *La Divine Comédie*.

Ainsi, le groupe derrière le maître pourrait être la vision de ses trois anciens amis poètes, condamnés à l'exil ou décédés peu de temps auparavant : Forese Donati, Guido Cavalcanti et Cino da Pistoia. Ceux-ci apparaissent dans *La Divine Comédie* et c'est probablement la raison pour laquelle Gustave Doré les représente dans sa toile. J P

Dante et Virgile dans le neuvième cercle de l'enfer

1861
Huile sur toile
315 x 450 cm
Bourg-en-Bresse, musée du monastère royal de Brou
Inv. 982.234
Acquis avec l'aide du FRAM Rhône-Alpes
Signé en bas à droite : *Gv. Doré*

En 1861, Gustave Doré souhaite marquer les esprits avec la publication de *L'Enfer* de Dante Alighieri illustré de ses dessins (1re édition, Paris, Hachette, 1861, in-folio) et une œuvre monumentale. Au Salon, le peintre expose l'immense toile où Dante et Virgile, protagonistes de *La Divine Comédie*, arrivés au neuvième cercle de l'enfer, s'avancent sur un lac gelé d'où émergent les torses nus et les têtes des traîtres. La nudité des corps contorsionnés s'oppose aux deux figures sculpturales de Virgile et Dante. Au premier plan, le comte Ugolin, qui a vu périr ses deux enfants, dévore le crâne de l'archevêque Ruggieri. Doré recourt aux détails réalistes pour exaspérer le côté effrayant et fantastique de cet enfer glaciaire. Dans le chant XXXII, les traîtres subissent tous la même peine : ils grelottent dans la glace éternelle. La surface gelée est le point d'aboutissement de toutes les eaux du Val d'Enfer, où expient les traîtres aux regards vitreux, du fait du gel des larmes. Les éléments de *L'Enfer* retranscrits dans la peinture de Doré sont les larmes, le regard, les ténèbres. L'obscurité accentuée par le fond bleu permet de détacher les corps et de marquer les cercles concentriques signifiés par la lumière absorbée par les blocs de glace. À côté des visages torturés, flottent des visages ayant presque l'apparence de masques mortuaires. Doré représente l'enfer sous ses formes les plus extrêmes. Il est aussi hanté par une vision plus mystique et cachée qui laisse deviner le sens divin de certaines images. Émile Doré mentionne que, dès 1855, Gustave Doré commence à travailler à l'interprétation de *La Divine Comédie* : « Le Dante est le chef-d'œuvre de mon frère et son ouvrage de prédilection ; il l'aimait à ce point qu'il en a fait reproduire maintes fois les sujets à l'huile et à l'aquarelle. »

La présentation de *Dante et Virgile dans le neuvième cercle de l'enfer* au Salon de 1861 suscite des commentaires enthousiastes mais défavorables, réduisant Doré à un simple agrandisseur de vignette sur toile de grand format. Théophile Gautier salue le tableau de son ami : « Quel sens de la réalité, et en même temps quel esprit visionnaire et chimérique ! L'être et le non-être ; le corps et le spectre, le soleil et la nuit, M. G. Doré peut tout rendre. C'est à lui qu'on devra la première illustration de Dante, puisque celle de Michel-Ange est perdue. » Avide de reconnaissance de sa peinture, Doré a mené parallèlement la carrière d'illustrateur et celle de peintre et d'aquarelliste, contribuant ainsi à cette distinction qu'a instaurée la critique contemporaine. Œuvre monumentale, *Dante et Virgile dans le neuvième cercle de l'enfer* constitue une fantastique allégorie de la destinée réservée aux traîtres de Dante. Considéré par la critique française avant tout comme un vignettiste, Doré expose finalement sa peinture en Angleterre pour voir enfin son talent pictural reconnu. *Dante et Virgile* est ainsi présenté à Londres (Picadilly), à l'Egyptian Hall, en 1867-1868 avec deux autres œuvres : *Le Tapis vert* ou *Vie à Baden-Baden* et *La Sœur de Jephta*. Quand la Doré Gallery ferme ses portes en 1892, les peintures de Doré voyagent aux États-Unis lors d'une exposition itinérante entre 1892 et 1898, passant de New York à Boston, Chicago, Philadelphie, où les foules se pressent pour admirer les immenses toiles. Puis elles deviennent introuvables. En fait, avant d'être dispersées lors d'une vente aux enchères en 1947, elles sont restées dans un entrepôt de Manhattan durant quarante-neuf ans. L'œuvre est acquise par le musée de Brou en 1982 lors de la vente Christie's à New York avec l'aide du Fonds régional d'acquisition des musées. SC

Dante et Virgile dans le huitième cercle de l'enfer

1855-1861
Aquarelle, plume et encre noire, rehauts de gouache blanche sur papier
53 x 33 cm
Bourg-en-Bresse, musée du monastère royal de Brou
Inv. 987.14
Dédicacé et signé en bas à droite : *Monsieur M. Chaumelin / affectueux souvenir /G Doré*

La scène est tirée du chant XXIV de *L'Enfer* de Dante Alighieri, que Doré commença en 1855 et qui fut publié en 1861. Dante et Virgile s'approchent de la septième fosse du huitième cercle, où des voleurs sont tourmentés par des serpents. Les anatomies musculeuses et les poses torturées rappellent l'art de Michel-Ange, l'ambiance cauchemardesque celles de William Blake (Carlier 2004, p. 33-34).

Comme souvent les aquarelles de Gustave Doré, celle-ci offre une touche nerveuse et enlevée, éloignée de la sophistication des gravures finales. Cette esquisse ne fut d'ailleurs pas retenue pour l'ouvrage final. Marius Chaumelin (1833-1889), à qui est dédicacée l'œuvre, était un journaliste et critique d'art[1]. M B-P

1. Pierre Larousse, *Grand Dictionnaire universel du* XIX*e siècle*, t. III, [C], 1995.

L'Enfer, de Dante Alighieri

1861
Livre illustré de 75 gravures sur bois
In-folio
Bourg-en-Bresse, musée du monastère royal de Brou.
Inv. 981.35

Le Purgatoire et *Le Paradis,* de Dante Alighieri

1868
Livre illustré de 60 gravures sur bois
In-folio
Bourg-en-Bresse, musée du monastère royal de Brou
Inv. 981.36 a et b

Doré est fasciné par l'œuvre de Dante dès son plus jeune âge, puisque à dix ans déjà il dessine un *Voyage à l'Enfer*[1]. Mais c'est à partir de 1855 qu'il exécute soixante-quinze dessins pour *L'Enfer* de Dante, premier ouvrage sur la liste des chefs-d'œuvre de la littérature qu'il projette d'illustrer (Journal de Gustave Doré, 1855). Le livre, luxueux, sera finalement publié en 1861 par Hachette, que Doré a réussi à convaincre en prenant une partie des frais à sa charge. Contrairement aux prévisions des éditeurs, il rencontre un grand succès, critique et commercial, et est diffusé dans toute l'Europe, de Londres jusqu'à Saint-Pétersbourg, en passant par Barcelone, Milan ou Stockholm. Sept ans plus tard paraissent *Le Purgatoire* et *Le Paradis*, qui font l'objet de gravures moins nombreuses (respectivement quarante-deux et dix-huit), et moins marquantes visuellement, avec des compositions plus convenues.

L'enfer, avec ses monstres, ses ombres, ses supplices, nourrit en effet l'imagination romantique et gothique de Doré[2]. Il déclinera de nombreuses peintures sur ce thème[3].
M B-P

1. Cat. expo Strasbourg 1983, n° 3, Roosevelt 1887, p. 46.
2.Carlier 2004.
3.Cat. 73, 74, *Paolo et Francesca* et *Dante et Virgile traversant le Styx*, non localisées…)

76. *L'Enfer*
Francesca da Rimini et Paolo Malatesta, chant V : « Poète, volontiers parlerais-je à ces deux qui vont ensemble et paraissent si légers au vent. »

77. *Le Paradis*
Chant XIII : « Les deux guirlandes de ces roses éternelles tournaient autour de nous, et celle du dehors répondait à celle du dedans. »

annexes

Félix Nadar
Gustave Doré
vers 1855, photolithographie
musée d'Orsay, Paris, inv. PHO 1984 94

CHRONOLOGIE

Biographie de Gustave Doré (1832-1883)
établie par Michèle Duflot

1832 : 6 janvier, naissance à Strasbourg de Gustave Doré, fils de Pierre-Louis-Christophe Doré, ingénieur des Ponts et Chaussées, et d'Alexandrine-Marie-Anne Pluchart. Il est le deuxième des trois enfants de la famille (après Ernest et avant Émile).
[En France : Monarchie de Juillet (1830-1848) • Insurrection royaliste dans l'Ouest et républicaine à Paris • Terrible épidémie de choléra • Pétition d'artistes célèbres pour que le Salon devienne annuel]

1837 : Élève de la pension Vergnette, il réalise les premiers dessins que nous connaissons de lui et qui nous sont parvenus ; ils illustrent les marges de ses cahiers et de ses lettres. Il se représente alors sous les traits d'une fourmi nommée Babotte.
[En France : Inauguration de la première ligne de chemin de fer • Traité de Tafna entre Abd el-Kader et la France pour le partage de l'Algérie • Inauguration du musée de Versailles • Décoration du salon du Roi par Delacroix]

1839 : Inspiré par J. J. Grandville, il compose les tableaux poétiques de la rencontre amoureuse de *Monsieur Fox, le chien* ou *Les Brillantes aventures de Monsieur Fouilloux*, autre héros canin. Il apprend le violon dont il jouera toute sa vie en virtuose. Mélomane averti, il deviendra l'ami des plus grands musiciens de son temps : Gounod, Offenbach, Rossini ou Liszt.
[En France : Crise politique et économique • Émeutes à Paris • Tocqueville réclame l'émancipation des esclaves dans les colonies françaises • Naissance officielle de la photographie • Refus de plusieurs toiles de Delacroix au Salon • Projet de restauration de la basilique de Vézelay par Viollet-le-Duc • Loi sur la propriété littéraire • Achat par l'État des procédés Daguerre (daguerréotype et diorama de peinture)]

1840 : Reproduit de mémoire, en novembre, le défilé qui accompagne l'inauguration de la statue de Gutenberg en juin à Strasbourg : manifestation précoce de sa fabuleuse mémoire visuelle. Il illustre pour la première fois le thème de *L'Enfer* de Dante et les *Aventures de Jupiter*.
[En France : Second ministère Thiers • Condamnation de Louis-Napoléon à la réclusion • Cendres de Napoléon aux Invalides • Instauration du système métrique • Inauguration de la colonne de Juillet à Paris • Publication de la première liste des monuments historiques classés]

1841 : Élève au collège de Strasbourg jusqu'en 1843.
[En France : Loi protégeant le travail des enfants • Chateaubriand termine ses *Mémoires* • Louis Visconti conçoit le tombeau de Napoléon aux Invalides • Ingres quitte ses fonctions à Rome et reçoit un accueil triomphal à Paris]

1843 : Son père est nommé ingénieur en chef des Ponts et Chaussées à Bourg-en-Bresse (mai), où il travaille à la rénovation du réseau routier et réalise des études pour les premières lignes de chemin de fer dans l'Ain. Gustave Doré quitte l'Alsace où il reviendra régulièrement se ressourcer, jusqu'à ce que la guerre contre la Prusse l'en empêche. L'un de ses premiers dessins à Bourg s'intitule *L'Inauguration de la statue de Bichat* (cat. 10), satire de la société burgienne de l'époque.
[En France : Marx s'installe à Paris • Première expérience d'éclairage public électrique à Paris • Restauration de Notre-Dame de Paris par Viollet-le-Duc • *Le Désespéré*, autoportrait de Courbet]

1844 : *La Vogue de Brou*, dessin d'une fête populaire à Bourg (cat. 8)
[En France : Guerre franco-marocaine • Chassériau décore l'escalier de la Cour des comptes à Paris • Ingres dessine les vitraux de la Chapelle royale de Dreux • Inauguration du musée de Cluny à Paris]

1845 : Fait imprimer trois lithographies chez Ceyzériat, artisan-imprimeur à Bourg, d'après trois dessins évoquant des sujets locaux : *La Vogue de Brou, La Noce, La Martinoire du Bastion* (cat. 8 et 9).
[En France : Premier essai réussi de télégraphe électrique entre Paris et Rouen • Baudelaire commence la rédaction des *Salons* • Vente de la collection du cardinal Fesch, oncle de Napoléon et grand collectionneur • Retour de Delacroix au Salon]

1847 : Rend en guise de version à son professeur de latin, une traduction graphique du *Meurtre de Clitus* (excellente note). Il fait un séjour de trois mois à Paris avec ses parents à partir de septembre et prend contact avec Philipon, directeur du *Journal pour rire*, qui l'engage et convainc ses parents de le laisser à Paris.
Parution chez Aubert des *Travaux d'Hercule,* premier album lithographique.
[En France : Crise économique et financière • L'Algérie est désormais sous domination française • Crise du ravitaille-

ment dans toute l'Europe • Millet fait ses débuts au Salon • Grand succès de Thomas Couture avec *Les Romains de la décadence*]

1848 : Le 17 avril, monsieur Doré signe avec Philipon, au nom de son fils, un contrat d'exclusivité de trois ans qui stipule que Gustave doit malgré tout poursuivre sérieusement ses études. Au lycée Charlemagne, il retrouve son concitoyen et ami le futur docteur Charles Robin, et fait la connaissance d'Hippolyte Taine, qui fera en sa compagnie un *Voyage aux Pyrénées*, et Edmond About, dont Doré illustrera les livres. Ses premières productions s'inspirent de l'actualité sous toutes ses formes. En voyage à Dieppe avec sa mère, il peint *Pêcheur qui amarre une barque avant la tempête*, très critiqué par son ami Paul Lacroix (à moins que ce ne fût une *Tempête* peinte à Boulogne-sur-Mer, selon Jerrold, qui date ce premier tableau de l'année suivante).
Première participation au Salon avec deux dessins : *Nouveau Bélisaire* et *L'union fait la force : scène d'ivrognes.* Il exposera jusqu'à sa mort presque sans interruption (1859).
[En France : Élection de Louis-Napoléon à la présidence de la République • Fin de la monarchie de Juillet • Début de la colonisation de l'Algérie • Abolition de l'esclavage • Mort de Chateaubriand • Le Salon sans jury • Le Louvre rebaptisé « Palais du peuple »]

1849 : Monsieur Doré père meurt le 4 mai à Bourg-en-Bresse. Madame Doré, ses trois fils et la bonne Françoise (qui s'occupera de Gustave jusqu'à sa disparition en 1883) s'installent à Paris dans leur hôtel de la rue Saint-Dominique. Doré illustre les morceaux de musique composés par son frère Ernest.
[En France : Restriction progressive des libertés d'association, de presse et de grève • Grave épidémie de choléra (16 000 morts) • Début de la restauration de la Grande Galerie du Louvre • Courbet entreprend *Un enterrement à Ornans*]

1850 : Présente au Salon sa première peinture – *Pins sauvages* – qui passe presque inaperçue. Il affirme de plus en plus son goût pour la peinture. Philipon lui demande sept paysages sur le thème du *Paysage des Alpes.*
[En France : Loi Falloux sur la liberté de l'enseignement • Restriction du suffrage universel • Mort en exil de Louis-Philippe • Ingres offre sa collection au musée de Montauban • Le Salon au Palais royal rebaptisé Palais national • Mort de Balzac]

1851 : Contrat non renouvelé avec Philipon, mais il publie deux albums comiques chez Aubert : *Les Des-agréments d'un voyage d'agrément* (où il se représente page 22) et *Trois Artistes incompris et mécontents*. Il collabore au journal *L'Illustration.*
[En France : Fin de la République de 1848 et début du Second Empire • Répression sanglante et exil de Victor Hugo • Vente des collections de Louis-Philippe • Rénovation d'une partie du Louvre • Début du *Journal* des frères Goncourt, répertoire de l'actualité artistique jusqu'en 1896 • Commandes de l'État pour Delacroix, Couture, Scheffer et Ingres]

1853 : Premier voyage en Suisse avec sa mère. Il dessine les vingt-quatre illustrations des *Œuvres complètes* de Byron et montre ainsi son intérêt grandissant pour les textes littéraires. Il présente au Salon *Les Deux Mères* (l'enfant riche bien portant, le pauvre déshérité) illustrant sa veine réaliste et sa prédilection pour le thème de l'enfance. Il fait un voyage en Alsace où il est déçu de ne pas être reconnu et fêté par ses compatriotes.
[En France : Mariage de Napoléon III avec Eugénie de Montijo • Le baron Haussmann préfet de Paris • Début de la guerre de Crimée • Dispersion à Londres du « Musée espagnol » de Louis-Philippe • Décoration d'un plafond de l'hôtel de ville de Paris par Ingres • Carpeaux, Chassériau, Corot, Courbet, Millet et Moreau présents au Salon]

1854 : Les *Œuvres* de Rabelais connaissent un grand succès. Il illustre aussi plusieurs albums satiriques : *Les Différents Publics de Paris*, *La Ménagerie parisienne, L'Histoire de la Sainte Russie* (le texte est de Doré). Ses douze grandes toiles (aujourd'hui disparues) sur le thème de *Paris tel qu'il est* choquent par leur réalisme qui confine au misérabilisme.
[En France : Guerre de Crimée (alliance France-Angleterre contre Russie) • Victoire de l'Alma et d'Inkermann • Le livret de travail obligatoire pour les ouvriers • Nouvelle épidémie de choléra • Parution du premier volume du *Dictionnaire raisonné de l'architecture* de Viollet-le-Duc • *Bonjour Monsieur Courbet* de Courbet • Création de la Société française de photographie]

1855 : Voyage dans les Pyrénées et en Espagne avec ses amis Paul Dalloz et Théophile Gautier. La parution du *Musée français-anglais,* édition bilingue, le fait connaître outre-Manche. *Les Contes drolatiques* confirment son goût très

romantique pour le Moyen Âge (425 vignettes). Il se donne pour but d'illustrer tous les chefs-d'œuvre de la littérature mondiale. Au Salon, il présente trois tableaux dont *La Bataille de l'Alma*, qui célèbre une des victoires françaises dans la guerre de Crimée, mais il n'est pas remarqué par la critique. Sollicité pour illustrer l'arrivée de la reine Victoria en France, il fait à cette occasion la connaissance du journaliste anglais Blanchard Jerrold (1826-1884) avec qui il se lie d'amitié. Une lithographie, *La Rue de la Vieille Lanterne,* évoque le suicide de son ami Gérard de Nerval. Ce thème du gibet se retrouvera à plusieurs reprises dans son œuvre.
[En France : Victoire de Sébastopol, la France s'affirme en puissance dominante • Loi sur les grands travaux de Paris confiés au baron Haussmann • Ouverture de l'Exposition universelle de Paris • *L'Impératrice Eugénie entourée de ses dames d'honneur* de Winterhalter, toile majeure de l'exposition des beaux-arts à l'Exposition universelle • *Les Athéniens livrés au Minotaure* de Moreau et *L'Âme*, poème en dix-huit tableaux de Janmot • Offenbach ouvre les Bouffes-Parisiens]

1856 : Collabore à *La Semaine des enfants* et illustre les ouvrages de la comtesse de Ségur. Il s'empare de *La Légende du Juif errant* et réalise douze gravures sur bois de très grand format : une réelle prouesse technique.
[En France : Naissance du prince impérial Eugène • Début des « séries » de Compiègne à l'automne • Pas de Salon • décoration de la nef de Saint-Germain-des-Prés par Flandrin]

1857 : Présente neuf toiles au Salon et reçoit une mention honorable. Il prépare les planches de *L'Enfer* de Dante. La *Géographie universelle* de Malte-Brun, *Fierabras* de Mary-Lafon paraissent en France.
[En France : Achèvement de la conquête de la Kabylie • Loi créant les marques de fabrique et établissant la propriété industrielle • Guerre de Chine • Publication des *Fleurs du mal* de Baudelaire, de *Madame Bovary* de Flaubert • *L'Angélus* de Millet au Salon]

1858 : Édition du *Voyage aux Pyrénées* d'Hippolyte Taine, son ami depuis le lycée Charlemagne, une reprise du *Voyage aux eaux des Pyrénées* du même auteur, mais plus abondamment illustrée. En pleine période d'expansion coloniale française, Doré montre son goût pour les récits de chevalerie et illustre *Les Compagnons de Jéhu* d'Alexandre Dumas, un autre ami fidèle de l'artiste. L'État lui achète *La Bataille d'Inkermann*, commencée en 1856.
[En France : Attentat d'Orsini contre Napoléon III, suivi de la promulgation d'une loi de sûreté générale • Création d'un ministère de l'Algérie et des Colonies • Apparition de la Vierge à Bernadette Soubirous • Première photo aérienne de Nadar • *Les Petites Filles modèles* de la comtesse de Ségur • *Dictionnaire du mobilier français* de Viollet-le-Duc • *Le Pêcheur à la coquille* de Carpeaux grand prix de Rome • Pas de Salon]

1859 : Continue de travailler énormément même s'il n'est pas présent au Salon. Il illustre la politique de Napoléon III à travers livres et périodiques. Doré collabore à la toute nouvelle *Gazette des beaux-arts*. Il illustre les *Essais* de Montaigne.
[En France : Guerre franco-autrichienne et victoires françaises de Magenta et Solférino • Amnistie générale pour les prisonniers, dont refuse de profiter Victor Hugo • Intervention française en Indochine • *Femme faisant paître sa vache* de Millet au Salon • *Le Bain turc* d'Ingres refusé par son commanditaire pour immoralité • Début de la rédaction de *La Légende des siècles* par Victor Hugo]

1860 : Voyage au Tyrol et en Italie avec Paul Dalloz et Théophile Gautier. Il illustre *Le Nouveau Paris* et l'*Histoire des environs du Nouveau Paris* de Labédollière, témoignage des bouleversements de la capitale française.
[En France : Premières réformes libérales de Napoléon III • La Savoie rattachée à la France • Paris divisé en vingt arrondissements • Projet de reconstruction de l'Opéra par Garnier • Ouverture de la galerie Goupil à Paris et première exposition d'art français du XVIIIe siècle organisée par Philippe Burty • Pas de Salon • *Les Paradis artificiels* de Baudelaire]

1861 : Présente trois grandes peintures d'après Dante au Salon, dont le *Dante et Virgile dans le neuvième cercle de l'enfer* (cat. 74), des dessins et un paysage. Les illustrations de *L'Enfer* (cat. 76) connaissent un succès international immédiat et considérable au contraire des peintures sur le même thème. Son voyage en Espagne lui laisse une impression durable et révèle son goût pour les personnages – saltimbanques et mendiants – vêtus d'habits « orientalisants ». Doré est promu chevalier de la Légion d'honneur.
[En France : Guerre contre le Mexique • Déclaration de neutralité dans la guerre civile américaine • Ambassade sia-

moise à Fontainebleau • Fondation de la Société nationale des beaux-arts • Pissarro, Jongkind et Whistler refusés au Salon • *On ne badine pas avec l'amour* d'Alfred de Musset, *Le Capitaine Fracasse* de Théophile Gauthier en feuilleton]

1862 : Illustre les *Contes* de Perrault, *Les Aventures du baron de Munchhausen* de Raspe (traduit par Th. Gautier), *La Mythologie du Rhin* de X.-B. Saintine, réalisant cette année-là des milliers de dessins. Lors d'un voyage à Baden-Baden, il conçoit les illustrations du *Don Quichotte* de Cervantès. Les nombreux croquis rapportés d'Espagne seront progressivement gravés dans *Le Tour du monde* qui paraît jusqu'en 1873. Il donne dans l'*Histoire de l'intrépide capitaine Castagnette*..., une version terrifiante de la retraite de Russie. Son tableau *Entre ciel et terre* (cat. 64), œuvre de fantaisie, est sans doute inspiré par les nouvelles photographies aériennes de Nadar.
[En France : La France désormais seule dans la guerre au Mexique sans ses alliés anglais et espagnols • Publication de la deuxième liste de monuments historiques (dont l'église de Brou) • *Salammbô* de Flaubert et *Les Misérables* de Hugo • Création de la Société des aquafortistes • Pas de Salon]

1863 : L'édition du *Don Quichotte* est un succès immédiat et international. Il illustre aussi *Atala* de Chateaubriand et la *Légende de Croque-Mitaine* d'Ernest L'Épine. Au Salon, Doré expose trois tableaux, dont *Le Vito, danse de gitanos à Grenade,* exploitant une fois de plus la veine hispanisante.
[En France : Protectorat français sur le Cambodge • Réforme de l'enseignement • Fondation du *Petit Journal* à un sou • achèvement des Halles de Paris • Réforme de l'École nationale des beaux-arts • Le Salon désormais annuel • Création du Salon des refusés • *Le Déjeuner sur l'herbe* de Manet]

1864 : Est invité dix jours à Compiègne par Napoléon III. Il inaugure la mode des tableaux vivants (des œuvres sont mimées par les convives), distraction mondaine très en vogue durant l'hiver 1864-1865. On lui demande l'illustration des manuels scolaires d'histoire des collèges de l'Empire.
[En France : Relatif succès de l'opposition (en pleine restructuration) aux élections législatives • Appel de Thiers pour le rétablissement des libertés fondamentales et Manifeste des Soixante marquant le réveil du mouvement ouvrier • Vente de l'atelier de Delacroix et exposition rétrospective • Cézanne et Rodin refusés au Salon • Début des travaux de décoration de Baudry à l'Opéra • Création de *Mireille* par Gounod et de *La Belle Hélène* par Offenbach]

Félix Nadar
Gustave Doré au drapé
entre 1857 et 1860, photographie
musée d'Orsay, Paris, inv. PHO 1991 2 4

1865 : L'État achète *L'Ange de Tobie* (cat. 37) présenté au Salon. Doré s'intéresse à la littérature anglaise et donne six planches pour le *Macbeth* de Shakespeare et quarante dessins pour le *Cantique de Noël* de Charles Dickens.
[En France : Long voyage de Napoléon III en Algérie et régence de l'impératrice • Ouverture de la première succursale de l'Internationale ouvrière à Paris • Nouvelle épidémie de choléra • Développement du phylloxéra • *L'Olympia* de Manet au Salon • Premiers essais de chromolithographie appliquée aux maîtres anciens par Didot]

1866 : Inaugure en avril son second atelier parisien au numéro 3 de la rue Bayard (8e arrondissement), qu'il dédie à la peinture et en particulier aux très grands formats. *La Sainte Bible* (230 gravures sur bois) est un immense succès d'édition tant en France qu'à l'étranger (surtout en Angleterre). Doré montre un intérêt grandissant pour les sujets religieux. Il est classé « hors concours » au Salon.
[En France : retraite des troupes françaises du Mexique • Réforme de l'enseignement et création du certificat d'études primaires • *Le Figaro* devient un quotidien • Les droits d'auteur garantis cinquante ans • Achèvement des halles de Baltard • Organisation d'une exposition d'artistes français à Londres par Cadart • *Les Lettres de mon moulin* d'Alphonse Daudet]

1867 : *Le Tapis vert* (scène de maison de jeu), au Salon, surprend par ses dimensions (5 x 11 m). Doré illustre les *Fables* de La Fontaine et la littérature anglaise, en particulier *Les Idylles*, poèmes de Tennyson, variante allégorique et moralisatrice des légendes du roi Arthur ; il devient très populaire en Angleterre. Il signe le 7 décembre le contrat d'ouverture de la Doré Gallery à Londres, qui restera en activité pendant vingt-quatre ans.
[En France : Exposition universelle à Paris • Expédition militaire à Rome pour protéger les États pontificaux des attaques de Garibaldi • Rétrospective Ingres à l'École des beaux-arts de Paris • Cabanel, Gérôme, Meissonier et Rousseau récompensés lors de l'Exposition universelle • Cézanne, Monet, Pissarro et Sisley refusés au Salon]

1868 : Accueil triomphal pour l'inauguration de sa galerie. Les Anglais reçoivent le *Triomphe du christianisme* comme le chef-d'œuvre de Doré. Sa réputation de peintre religieux est renforcée par la présentation du *Néophyte* tant à Paris, au Salon, qu'en Angleterre (2e version) : ce jeune chartreux au visage si pur entouré de vieux moines fait cependant débat. Doré travaille aussi à la poursuite de l'épopée dantesque dont il achève *Le Purgatoire* et *Le Paradis*. *Viviane* et *Guenièvre,* versions françaises des poèmes de Tennyson, paraissent en France. La mort de son ami Rossini sonne le glas des fastes de l'Empire. Il retrouve en septembre son Alsace natale.
[En France : Loi de libéralisation de la presse • Loi autorisant les réunions publiques • Réorganisation de l'armée • Création de l'École pratique des hautes études • Invention de la photographie en couleurs • Découvertes des restes de l'homme de Cro-Magnon aux Eyzies-de-Tayac • Création de la Société française de gravure • Boudin, Bazille, Monet au Salon, Cézanne refusé]

1869 : Refuse l'invitation de l'impératrice à venir inaugurer le canal de Suez avec la délégation française. L'empereur lui offre un crayon surmonté d'un diamant, symbole de son talent reconnu. Présente au Salon deux paysages montagneux (*Les Alpes, environ de Cormayeur* [Savoie] et *Un vallon, souvenir de Rozenlawi* [Oberland bernois]). Au printemps il retrouve son ami Jerrold à Londres et parcourt avec lui la ville jusque dans ses bas-fonds. Il réalise un album d'esquisses en vue de l'édition d'un livre consacré à la métropole anglaise.
[En France : Instauration d'un régime semi-parlementaire • Napoléon III, après la démission de l'ensemble du gouvernement, fait appel aux libéraux • Début de la production d'hydroélectricité • Mort de Berlioz • *L'Éducation sentimentale* de Flaubert • Le legs Lacaze au Louvre (582 tableaux) favorise le retour en faveur de l'art des XVIIe et XVIIIe siècles et de la peinture flamande et hollandaise]

1870 : Renonce à son voyage annuel en Angleterre en raison de la guerre franco-prussienne. Il s'engage dans la garde nationale pour défendre Paris. Sa peinture prend des accents patriotiques – *La Marseillaise*, *Le Chant du départ*, *Le Rhin allemand*, *L'Alsace meurtrie* (cat. 62), *Sœur de charité sauvant un enfant* (cat. 61), etc. – mais aussi satiriques quand il caricature les officiers prussiens. Il fait fondre un miroir en bronze doré animé d'une draperie (un exemplaire au musée de Brou). La reine Victoria lui achète le tableau *Le Psaltérion.*
[En France : Défaite de Sedan et chute du Second Empire • Gouvernement de défense présidé par Gambetta • Siège de Paris • Dernier Salon de Millet avec *La Baratteuse* et Monet,

refusé, provoque le départ du jury de Daubigny et Millet • Meissonier peint *Le Siège de Paris*]

1871 : Pendant la Commune, il se retire à Versailles : il exécute des croquis féroces et comiques, qui seront publiés à titre posthume dans *Versailles et Paris* en 1907. Irrémédiablement marqué par les événements, il peint *L'Énigme* (cat. 58). Il fait aménager dans son atelier de la rue Bayard une loge pour travailler la sculpture. Il reprend ses voyages à Londres pendant lesquels il modèle un buste du Christ.
[En France : Capitulation de Paris • Traité de paix et perte de l'Alsace et de la Lorraine • Thiers élu président de la IIIe République • Commune de Paris suivie d'une répression sanglante • Pas de Salon • Les beaux-arts dépendent désormais du ministère de l'Instruction publique • Monet et Pissarro s'exilent en Angleterre]

1872 : En janvier paraît le *London, a pilgrimage* de Jerrold avec cent quatre-vingts illustrations de Doré, qui travaille dès lors la technique de l'eau-forte. Son tableau *Le Christ quittant le prétoire* connaît un immense succès en Angleterre. Ses tableaux religieux, d'abord présentés au Salon à Paris, sont envoyés outre-Manche jusqu'à sa mort. Il ébauche ses premières sculptures.
[En France : Déportation des communards • Introduction de la conscription • Interdiction de la première Internationale ouvrière • Le tableau de Monet *Impression, soleil levant* donne son nom au mouvement impressionniste que Durand-Ruel expose à Londres • Création de *L'Arlésienne* par Bizet à Paris • *Les Aventures prodigieuses de Tartarin de Tarascon* d'Alphonse Daudet]

1873 : Vit une année moralement difficile : inconsolable de la perte de l'Alsace, il se remet mal, selon Jerrold, d'un chagrin d'amour. Il trouve l'apaisement dans le travail : il peint *Les Ténèbres* pour le Salon. Il découvre l'Écosse, invité par l'aide de camp du prince de Galles, le colonel Teesdal. Il y expérimente l'aquarelle pour ses croquis et réalise des tableaux comme le *Lac en Écosse après l'orage* (cat. 27) aux accents très romantiques. Il consacre de moins en moins de temps à l'illustration.
[En France : Fin de l'occupation prussienne • Mort de Napoléon III • Chute de Thiers et élection du général Mac-Mahon comme président de la République • Début d'une grave crise économique et sociale (jusqu'en 1896)]

1874 : *L'Espagne* de Davillier paraît cette année-là, reprenant trois cent neuf illustrations du *Tour du monde*. Il voyage en Bretagne. Il peint *Jeune Femme orientale allaitant son enfant* et *Les Saltimbanques* (musée Quillot, Clermont-Ferrand), nouvelle preuve de sa triple fascination pour le monde des forains, les costumes bohémiens et l'enfance.
[En France : Loi interdisant le travail aux enfants de moins de treize ans • Réglementation du travail des femmes • Création de l'Inspection du travail • Début de l'inventaire des richesses de la France • Fresques au Panthéon par Puvis de Chavanne • Première exposition impressionniste chez Nadar, photographe et ami de Gustave Doré]

1875 : Voyage beaucoup dans les Vosges, en Suisse et au Tyrol. Il se rend en Angleterre, où il est présenté à la reine Victoria par le prince de Galles. Il projette de se faire bâtir en bordure du parc Monceau un nouvel hôtel particulier et un atelier. Doré fait une exception à sa désaffection pour l'édition en illustrant à l'eau-forte *La Chanson du vieux marin* de Samuel Coleridge (cat. 70, 71a et 71b), qu'il considère comme son meilleur ouvrage malgré le faible succès rencontré auprès du public.
[En France : Fondation de la IIIe République consacrant le parlementarisme • Guerre franco-chinoise (1875-1885) • Inauguration de l'Opéra Garnier à Paris • Échec de *Carmen* de Bizet à l'Opéra-Comique de Paris • *Les Raboteurs de parquet* de Caillebotte refusés au Salon • Exposition impressionniste à Drouot • Fondation à Nancy de la manufacture Daum]

1876 : Au sommet de sa popularité mondaine, il séjourne chez le comte de Warwick. Il se rend de nouveau en Écosse et en Angleterre. L'adaptation française du *Londres* de Jerrold par Enault paraît cette année-là, occasionnant une brouille passagère entre Doré et l'auteur anglais.
[En France : Premier Congrès national ouvrier à Paris • Fondation du premier journal socialiste, *L'Égalité*, par Jules Guesde • Création du *Petit Parisien* • Fondation de l'École française de Rome • Manet, refusé au Salon, expose dans son atelier • Début de la construction de la basilique du Sacré-Cœur • Charpente métallique du Bon Marché par Boileau et Eiffel]

1877 : Présente au Salon la neuvième version sur cuivre de son *Néophyte* dans un format très exceptionnel : 73 sur 60 cm. Il illustre l'*Histoire des croisades* de Joseph Michaud,

retrouvant l'élan chevaleresque de ses débuts. *La Parque et l'Amour* (cat. 72) est la première sculpture (plâtre) qu'il présente au Salon : bon accueil de la critique, mais ce n'est pas la consécration qu'il attendait.
[En France : Crise institutionnelle et début d'un régime parlementaire • Création du musée des Arts décoratifs à Paris • Cabanel et Bouguereau au Salon, la *Nana* de Manet refusée • *L'Âge d'or* de Rodin fait scandale (moulé sur nature ?) • Série de *La Gare Saint-Lazare* de Monet • Mort de Gustave Courbet • *L'Assommoir* de Zola fait scandale]

1878 : Devient membre de la toute nouvelle Société des aquarellistes. Il expose au Salon une sculpture, encore sur un thème allégorique, *La Gloire,* sujet cher aux romantiques, qu'il traite sur d'autres supports. Il surprend ses contemporains en réalisant un immense vase de 2,90 mètres de hauteur pour l'Exposition universelle : ce *Poème de la vigne* est inspiré de la « dive bouteille » de Rabelais.
[En France : Exposition universelle à Paris (importante section japonaise) • Lancement du plan Freycinet, ambitieux programme de travaux publics en France • Durand-Ruel expose trois cents peintures de l'école de Barbizon • Exposition Daumier chez Nadar • Cabanel peint des fresques au Panthéon • Gérôme, médaille d'honneur du Salon pour ses *Gladiateurs*]

1879 : L'illustration du *Roland furieux* de l'Arioste lui donne l'occasion de mêler le chevaleresque, la veine mythologique et le monde des fées ; ce sera sa dernière grande publication. Il réalise une pendule – *Le Temps fauchant les Amours* – reprenant le thème de la lutte antagoniste entre la vie et la mort déjà présente dans *Le Poème de la vigne*. Il fait sensation au Salon des aquarellistes avec le portrait de sa mère, *La Veuve*, grandeur nature. Doré est nommé officier de la Légion d'honneur pour l'ensemble de son œuvre.
[En France : Jules Grévy président de la République (jusqu'en 1887) • Gambetta président de la Chambre des députés • Le 14 Juillet, fête nationale, et *La Marseillaise*, hymne national • Début des réformes de l'enseignement par Jules Ferry • Achat par l'État de *La Naissance de Vénus* de Bouguereau • Sisley et Cézanne refusés au Salon • Concours pour un monument pour la République • Esquisse de Dalou pour le *Monument de la place de la Nation* (1889) • Fondation du musée de Sculpture comparée au Trocadéro (inauguration en 1882)]

1880 : *La Madone*, une sculpture, lui vaut une médaille de troisième classe au Salon.
[En France : Poursuite de la laïcisation de la société : dissolution des congrégations enseignantes non autorisées • Création des collèges et lycées de jeunes filles • Adoption du drapeau bleu/blanc/rouge • Amnistie pour les communards • Commande de l'État à Rodin de *La Porte de l'enfer* • Inauguration du *Lion de Belfort* de Bartholdi • Succès de Moreau au Salon avec *Galatée* • Manet et Monet à la galerie de la Vie Moderne • L'État abandonne l'organisation du Salon à la Société des artistes français]

1881 : Sa mère meurt en mars : « L'existence n'a plus aucun charme pour moi », écrit-il quelques mois plus tard. Très éprouvé, souffrant de problèmes cardiaques et épuisé par des années de labeur, il cherche le repos en Suisse : il y peint une belle aquarelle, *Le Lac Léman* (musée Courbet, Ornans).
Il réalise le *Portrait de Françoise* (aquarelle), la bonne de la famille. Doré a laissé peu de portraits et principalement de son entourage. Il travaille également, gratuitement, au monument qui sera érigé pour Alexandre Dumas, boulevard Malesherbes à Paris, mais dont il ne verra pas la réalisation.
[En France : Loi Ferry sur la gratuité de l'enseignement primaire • Loi libérale sur la presse • Poussée de la gauche aux élections législatives • Protectorat français sur la Tunisie • *La Grande Danseuse de quatorze ans* de Degas • Don de *L'Enterrement à Ornans* de Courbet au Louvre, par sa sœur • Prix record pour *L'Angélus* de Millet lors d'une vente aux enchères

1882 : Le bronze (2 700 kg) du *Poème de la vigne*, coulé aux frais de Doré, ne suscite pas l'admiration escomptée au Salon à la différence de *La Cour des Miracles*, inspirée par *Notre-Dame de Paris* de Victor Hugo, exposée rue Laffitte à Paris. Cette aquarelle, comme toutes celles produites par Doré, connaît un grand succès.
[En France : Grave crise économique • Élection des maires au suffrage universel • Deuxième loi Ferry rendant laïque et obligatoire l'enseignement jusqu'à treize ans • Le Congo colonie française et Madagascar protectorat français • Cézanne admis au Salon • Inauguration du musée Grévin et de l'Hôtel de Ville de Paris • Fondation de l'École du Louvre • Importante rétrospective Courbet à l'École des beaux-arts • Fresques du musée d'Amiens par Puvis de Chavanne]

1883 : Gustave Doré est terrassé par une crise cardiaque le 23 janvier. Son ultime illustration aura été pour l'œuvre d'Edgar Poe, *Le Corbeau*, qui exprime la douleur d'un homme après la mort de sa femme. Il ne peut mener à bien son projet concernant les *Œuvres complètes* de Shakespeare ; plusieurs centaines de dessins, accumulés au fil des années, seront dispersés lors de la vente aux enchères de son atelier. « Je vous en prie, guérissez-moi que je puisse finir mon Shakespeare » : c'est l'ultime vœu, non exaucé, de l'artiste.
[En France : Création du Conseil supérieur des colonies • Expédition du Tonkin • Occupation de Madagascar • Fondation de l'Alliance française • Mort du comte de Chambord : les royalistes regroupés autour du comte de Paris • Disparition de Manet (né lui aussi en 1832) • Monet à Giverny • Exposition itinérante des impressionnistes en Europe organisée par Durand-Ruel]

1885 : Vente aux enchères de son atelier.

1892 : La plupart des grandes compositions de la Doré Gallery de Londres prennent la direction des États-Unis.

1949 : Les toiles sont retrouvées roulées dans un entrepôt de Manhattan et vendues.

***

Sources bibliographiques :

Cahn (Isabelle) *et al.*, *Chronologie de l'art au XIXe siècle*, Paris, Flammarion, 1998.
Kaenel (Philippe), *Gustave Doré, réaliste et visionnaire*, Genève, Le Tricorne, 1985.
Poiret (Marie-Françoise), *Gustave Doré dans les collections du musée de Brou*, Bourg-en-Bresse, Musée de Brou, 1992.
Renonciat (Annie), *La Vie et l'œuvre de Gustave Doré*, Paris, Bibliothèque des Arts, 1983.
Roosevelt (Blanche), *La Vie et les œuvres de Gustave Doré*, Librairie illustrée, Paris, 1887.
Livrets des *Salons* de 1848 à 1883

Paysage avec un arc-en-ciel,
vers 1868, huile sur toile, The Royal Collection, Londres, inv. 404507.

BIBLIOGRAPHIE

Bibliographie établie par Michèle Duflot

Les ouvrages et articles de revue sont classés par ordre alphabétique d'auteur.

Les catalogues (de collection ou d'exposition) sont classés par ordre chronologique.

Ouvrages et périodiques

Adhemar (Jean) et **Lethève** (Jacques), *Inventaire du fonds français après 1800*, Bibliothèque nationale, département des Estampes, 1954, Paris, t. VII.

Arnoux (Alexandre), « Gustave Doré », *Le Bouquiniste français*, 14,1959, p. 25-34.

Bayard (Émile) et **Havard** (Henry), *L'Illustration et les illustrateurs*, Paris, Delagrave, 1898.

Beraldi (Henri), *Les Graveurs français du XIXe siècle, Guide de l'amateur d'estampes modernes*, Paris, Librairie Conquet, 1887, t. VI.

Bibliothèque de Monsieur et Madame Henri Leblanc, première partie, *Livres illustrés par Gustave Doré*, Paris, Bosse et Picard, 1932.

Buhart (Laure), « Doré le visionnaire », *L'Estampille-L'Objet d'art*, 278, mars 1994, p. 54-63.

Carlier (Sylvie), *L'Enfer Doré*, Lyon, Fage, 2004.

Choffel-Berthou (Dominique), « Les illustrations dans les livres de voyage au XIXe siècle et leur véracité », *Gazette des beaux-arts*, 1430, mars 1988, p. 213-224.

Clapp (Samuel) et **Lehni** (Nadine), « Une introduction à la sculpture de Gustave Doré », *Bulletin de la Société de l'histoire de l'art français*, 1991, p. 219-253.

Claretie (Jules), *Peintres et sculpteurs contemporains*, Paris, Charpentier, 1874.

Cussinet (Marie-France), « Bohémiennes et saltimbanques dans les musées d'Auvergne », dans *La Bohémienne : figure poétique de l'errance aux XVIIIe et XIXe siècles, actes du colloque du Centre de recherches révolutionnaires et romantiques, université Blaise-Pascal (Clermont-Ferrand, 12, 13, 14 mars 2003)* ; études réunies par Pascale Auraix-Jonchière et Gérard Loubinoux, 2005 p. 315-327.

Dézé (Louis), *Gustave Doré* : bibliographie et catalogue complet de l'œuvre, Paris, Seheur, 1930.

Doré (Gustave) et **Boussel** (Patrice), préf., *Versailles et Paris en 1871*, Paris, Horay, 1979.

Doré (Gustave) et **Hanotaux** (Gabriel), préf., *Versailles et Paris en 1871*, Paris, Plon, 1907.

Dumas (Alexandre, fils), préf., *Le Monument de Alexandre Dumas*... suivi du *Discours funèbre prononcé par Alexandre Dumas fils sur la tombe de Gustave Doré le 25 janvier 1883*, Paris, Librairie des bibliophiles, 1884.

Edwards (Amalia B.), « Personal recollections of the artist and his work », *The Art Journal,* 1883.

Ehrard (Antoinette), « Émile Zola et Gustave Doré », *Gazette des beaux-arts*, n° 1238, mars 1972, p. 185-192.

Foucart (Bruno), « Gustave Doré, un réaliste visionnaire », *Beaux-Arts Magazine*, n° 5, septembre 1983, p. 32-41.

Gautier (Théophile), « Gustave Doré », extrait de L'Artiste, 6e série, t. III, 2e livraison, Paris, Imprimerie Bonaventure, 21 décembre 1856, p. 17-19.

Genty (Maurice), « Gustave Doré et Charles Robin », Le Progrès médical, supplément illustré, n° 12, 1927.

Girard (Francisque), *La Vie joyeuse de Gustave Doré* (2e causerie faite à la Société d'émulation de l'Ain), Bourg-en-Bresse, Imprimerie du Courrier de l'Ain, 1934.

Gosling (Nigel), *Gustave Doré*, Newton Abbot, David & Charles, 1973.

Huteau (Henri), *Les Artistes de l'Ain, peintres, dessinateurs et sculpteurs*, Bourg-en-Bresse, Imprimerie du Courrier de l'Ain, 1933.

Jarrin (Charles), *Le Rabelais de Gustave Doré et accessoirement des rapports de Rabelais avec la Bresse*, Bourg-en-Bresse, Imprimerie Adolphe Dufour, 1873.

Jerrold (Blanchard), *The Life of Gustave Doré*, Londres, W. H. Allen & Co., 1891.

Kaenel (Philippe), « Gustave Doré à l'œuvre : vision photographique, imitation et originalité », dans *L'image répétée, actes du colloque de Victoria, juin 2011*, *Textimage* (revue en ligne), 2012 (à paraître).

Kaenel (Philippe), « Livres, lectures, images, littératies : d'une reproductibilité technique à l'autre (à partir de l'œuvre de Gustave Doré) », dans C. Clivaz, J. Meinoz, F. Vallotton et J. Verheyden, *Des manuscrits antiques à l'ère digitale. Pratiques de lecture, échanges intellectuels et communication scientifique*, Lausanne, éd. en collab. avec B. Bertho, 2012, PPUR (édition digitale et papier), à paraître.

Kaenel (Philippe), *Le Métier d'illustrateur, 1830-1880 : Rodolphe Töpffer, J. J. Grandville, Gustave Doré*, Genève, Droz, 2005.

Kaenel (Philippe), *Gustave Doré, réaliste et visionnaire, 1832-1883*, Genève, Le Tricorne, 1985.

Lafront (Auguste) et **Darrieumerlou** (Miguel), *La Tauromachie de Gustave Doré*, Paris, Union des bibliophiles taurins de France, 1984.

Leblanc (Henri), *Catalogue de l'œuvre complet de Gustave Doré*, Paris, Brosse, 1931.

Le Bris (Michel) et **Doré** (Gustave), ill., *Aux vents des royaumes*, La Gacilly, Artus, 1991.

Lehni (Nadine), « Gustave Doré : récentes acquisitions des musées de Nantes, Bourg-en-Bresse et Strasbourg », *Revue du Louvre et des Musées de France*, n° 4, octobre 1987, p. 284-289.

Lehni (Nadine), « Doré et Strasbourg », *Connaissance des arts*, n° 499, octobre 1993, p. 44-53.

Le Men (Ségolène), « Manet et Doré, l'illustration

du Corbeau de Poe », *Nouvelles de l'Estampe*, nº 78, décembre 1984, p. 4-21.

Lemercier De Neuville (Louis), *Les Figures du temps : Gustave Doré*, Paris, Bourdillat, 1861.

Michel (André), « Les dessins de Gustave Doré au Cercle de la librairie », dans *La Revue alsacienne*, Paris, Berger-Levrault, 1885, p. 252-258.

Noël (Bernard), *Londres de Gustave Doré*, Paris, À l'enseigne de l'arbre verdoyant, 1984.

Poiret (Marie-Françoise), *Voyages fantastiques avec Gustave Doré*, Bourg-en-Bresse, musée du monastère royal de Brou, 1995.

Renonciat (Annie), *La Vie et l'œuvre de Gustave Doré*, Paris, ACR, 1983.

Roosevelt (Blanche), *La Vie et les œuvres de Gustave Doré, d'après les souvenirs de sa famille, de ses amis et de l'auteur Blanche Roosevelt*, Paris, Librairie illustrée, 1887 [traduction de *Life and Reminiscences of Gustave Doré…*, New York, Cassel & Co., 1885].

Tromp (Édouard), *Gustave Doré*, Paris, Rieder, 1932.

Valmy-Baysse (Jean), *Gustave Doré*, bibliographie et catalogue complet de l'œuvre par Louis Dezé, Paris, Seheur, 1930.

Viatte (Germain), « Gustave Doré peintre », *Art de France*, nº 4, 1964, p. 349-351.

Zafran (Éric), **Small** (Lisa) et **Rosenblum** (Robert), dir., *Fantasy and Faith: the Art of Gustave Doré*, Londres et New York, Dahes Museum of Art/Yale University Press, 2007.

Catalogues de collection

1954, Strasbourg, musée des Beaux-Arts, *Gustave Doré, catalogue des œuvres originales et de l'œuvre gravé conservés au musée des Beaux-Arts de Strasbourg*.

1992, Bourg-en-Bresse, musée de Brou, *Gustave Doré dans les collections du musée de Brou*, Marie-Françoise Poiret et Marie-Dominique Nivière.

1993, Strasbourg, musée d'Art moderne et contemporain, *Gustave Doré, une nouvelle collection*, Marie-Jeanne Geyer et Nadine Lehni.

1998, Strasbourg, musée d'Art moderne et contemporain, *Le Musée d'Art moderne et contemporain*, Paris, Scala, 1998.

Catalogues d'exposition

Catalogues des *Salons* de 1848 à 1883.

1885, Paris, Cercle de la librairie, *Catalogue des dessins, aquarelles et estampes de Gustave Doré*, avec une notice biographique de G. Duplessis.

1932, Paris, musée du Petit Palais, *Exposition rétrospective Gustave Doré, 1832-1883*, textes de Camille Gronkowski.

1963, Bourg-en-Bresse, musée de Brou, *L'œuvre de Doré*.

1974, Paris, Bibliothèque nationale, *Gustave Doré*, textes de Jean Adhémar.

1982-1983, Hanovre, Wilhelm Busch Museum, *Gustave Doré, 1832-1883*.

1983-1984, Bourg-en-Bresse, musée de Brou, *Gustave Doré dans les collections du musée de Brou*, textes de Marie-Françoise Poiret.

1983, Londres, galerie Hazlitt, Gooden & Fox, *Gustave Doré, 1932-1883*, textes de Samuel F. Clapp.

1983, Strasbourg, musée d'Art moderne et contemporain, *Gustave Doré, 1832-1883*.

1985, Paris, musée du Petit Palais, *Gustave Doré et la peinture religieuse monumentale*.

1985, Genève, galerie des Arts anciens, *Gustave Doré, réaliste et visionnaire, 1832-1883*, textes de Philippe Kaenel.

1985, Pau, musée des Beaux-Arts, *Tobie vu par les peintres*.

1994, Fontenay-le-Comte, Musée vendéen, *François Rabelais, « bon gaultier et bon compaignon qui demeuroit en Poictou », 1594-1994*.

2002, Daoulas, abbaye de Daoulas, *Fées, elfes, dragons et autres créatures des royaumes de féeries*.

2004, Strasbourg, Musées de Strasbourg, *Homme-Animal*.

2004-2005, Bilbao, Salamanque, Séville, *Gustave Doré : œuvres de la collection du musée d'Art moderne et contemporain de Strasbourg*, Strasbourg, Musées de Strasbourg, 2004.

2007-2008, Toulouse, musée Paul Dupuy, *Les Pyrénées des peintres*.

2008, Le Havre, musée Malraux, et Bordeaux, musée des Beaux-Arts, *Sur les quais*.

2009, Namur, musée Félicien Rops, *Mihaly Zichy, Gustave Doré : deux monstres sacrés*.

2011, Le Havre, musée André Malraux, *Gustave Doré, Épisode du siège de Paris en 1870*, texte d'Emmanuelle Riand.

INDEX

Index des noms propres

Index des lieux

Copyrights et Droits

France :
Beauvais, musée départemental de l'Oise © RMN-GP/Thierry Ollivier (fig. 5 p. 44)
Belfort, musée d'Art et d'Histoire © Musées de Belfort – Cliché Claude Henri Bernardo (cat. p. 129)
Bourg-en-Bresse, médiathèque E. & R. Vailland © Ville de Bourg-en-Bresse – Médiathèque E. & R. Vailland (fig. 10 p. 21, fig. 5 p. 57, fig. 7 p. 58, fig.76, p.143)
Bourg-en-Bresse, musée du monastère royal de Brou © Musée du monastère royal de Brou, Ville de Bourg-en-Bresse (cat. p. 67, 68, 71, 73, 74, 80, 112, 113, 131, 135, 142, fig.77, 143) (p. 21, fig. 9 p. 37, fig. 9 p. 60) © Musée du Monastère royal de Brou, Ville de Bourg-en-Bresse/cliché Basset (cat. p. 69)/ cliché Hervouet (cat. p. 66, 82 et 85)/ cliché Houdus (cat. p. 108, fig. 11 p. 21)/cliché Maertens (cat. p. 86-87, 138 et 141) cliché Hervé Nègre (cat. p. 64)/cliché JJ Pauget (cat. p. 75)
Caen, musée des Beaux-Arts © Musée des Beaux-Arts de Caen/Martine Seyve photographe (cat. p. 88)
Chamonix, Musée alpin © Collection du Musée alpin de Chamonix – cliché Atelier Esope (cat. p. 81)
Cherbourg-Octeville, Musées de Cherbourg © Cherbourg-Octeville, musée d'art Thomas-Henry. Photosohier (cat. p. 128)
Clermont-Ferrand, musée d'art Roger-Quillot © Musée d'art Roger-Quilliot [MARQ], Ville de Clermont-Ferrand (fig. 2 p. 42)
Colmar, musée Unterlinden © Musée Unterlinden, Colmar (cat. p. 101 et 127)
Dijon, musée des Beaux-Arts © Musée des Beaux-Arts de Dijon/Photos François Jay (cat. p. 76, 80, 83 et 84)
Évreux, musée d'Évreux © Musée d'Art, Histoire et Archéologie, Évreux/ J.-P. Godais (fig. 1 p. 40)
Grenoble, musée de Grenoble, Photographie © Musée de Grenoble (cat. p. 89, 90)
La Rochelle, musée des Beaux-Arts © La Rochelle, musées d'Art et d'Histoire, J + M (cat. p. 104, 105)
Le Havre, musée Malraux © Musée d'art moderne André Malraux, MuMa, Le Havre (cat. p. 126)
Lyon, galerie Michel Descours © Galerie Michel Descours, Lyon (cat. p. 116-117, 118-119)
Montpellier, musée Fabre © Musée Fabre de Montpellier Agglomération/ cliché Frédéric Jaulmes (cat. p. 78, 79)
Mulhouse, musée des Beaux-Arts © Collection du musée des Beaux-Arts de Mulhouse-Dépôt de la Société Industrielle de Mulhouse-Fred Hurst (cat. p. 122)
Nancy, musée des Beaux-Arts (dépôt du musée de l'École de Nancy) © Nancy, musée des Beaux-Arts/Dépôt du musée de l'École de Nancy – Cliché Claude Philippot (cat. p. 121)
Paris, musée Bourdelle © musée Bourdelle/Parisienne de photographie (fig. 1 p. 55)
Paris, musée Carnavalet © Musée Carnavalet/Roger-Viollet (cat. p. 77)
Paris, musée des Arts décoratifs © Photo Les Arts décoratifs, Paris/Jean Tholance (fig. 3 p. 15)
Paris, musée d'Orsay © RMN-GP (Musée d'Orsay)/ Hervé Lewandowski (p. 3) © RMN-GP (Musée d'Orsay)/ Jean Schormans (cat. p. 123) © RMN-GP (Musée d'Orsay)/Franck Raux (fig. 9 p. 47) © RMN-GP (Musée d'Orsay)/ Droits réservés (p. 145) © Musée d'Orsay, Dist. RMN-GP/Patrice Schmidt (p. 149)
Paris, musée du Louvre (dépôt du musée d'Orsay) © RMN-GP (Musée d'Orsay)/Gérard Blot (fig. 7 p. 18)
Paris, musée du Petit Palais © Petit Palais/Roger-Viollet (fig. 3 p. 33, fig. 4 p. 34)
Paris, galerie Elstir © Galerie Elstir, Paris (cat. p. 137)
Pau, musée des Beaux-Arts (dépôt du château fort et son Musée pyrénéen de Lourdes) © Musée des Beaux-Arts de Pau – Jean-Christophe Poumeyrol (cat. p. 92, 96)
Poitiers, musée Sainte-Croix © Musées de Poitiers/Christian Vignaud (fig. 14 p. 51)
Pontoise, musées de Pontoise © Musées de Pontoise – Jean-Michel Rousvoal (cat. p. 107, 120)
Reims, musée des Beaux-Arts © Musée des Beaux-Arts de la Ville de Reims – C. Devleeschauwer (cat. p. 93)
Sète, musée Paul Valéry © Musée Paul Valéry, Sète (cat. p. 110)
Strasbourg, musée d'Art moderne et contemporain © Musée d'Art moderne et contemporain de Strasbourg, photo Musées de Strasbourg (cat. p. 65, 102-103, 132) (fig. 14 p. 27) © RMN-GP. Jean Schormans (cat. p. 111) © Musée d'Art moderne et contemporain de Strasbourg/photo M. Bertola (fig. 6 p. 36)
Tarbes, maison natale du maréchal Foch © Tarbes, Maison natale du maréchal Foch – cliché musée Massey, droits réservés (cat. p. 91)
Toulon, musée d'Art © Collection du musée d'Art de Toulon – crédit photographique John H. Walzl (cat. p. 94-95, 98)
Troyes, musée d'Art © Musée des Beaux-Arts Ville de Troyes – Carole Bell (cat. p. 99)
Versailles, Éric Pillon Enchères © Versailles – Éric Pillon Enchères (cat. p. 97)

Angleterre :
Liverpool, Walker Art Gallery © Supplied by the Walker Art Gallery, Liverpool, Grande-Bretagne (fig. 7 p. 46)
Londres, Museum of London © Supplied by the Museum of London, Londres, Grande-Bretagne (fig. 6 p. 45)
Londres, The Royal Collection © Supplied by Royal Collection Trust/© HM Queen Elizabeth II 2012 (p. 153)
Londres, The Schorr Collection (dépôt au Bowes Museum) © Supplied by The Schorr Collection, Londres, Grande-Bretagne (cat. p. 115)
Londres, Whitford Fine Art © Supplied by the Whitford Fine Art, Londres, Grande-Bretagne (cat. p. 133)

Australie :
Melbourne, National Gallery of Victoria © Copyright National Gallery of Victoria, Melbourne, Australie (fig. 10 p. 61)

Canada :
Ontario, Art Gallery of Hamilton © Art Gallery of Hamilton, Ontario, Canada (fig. 2 p. 33)

États-Unis :
Chicago, Driehaus Enterprise Management Inc. © Driehaus Enterprise Management, Chicago, États-Unis (cat. p. 114)
Houston, Museum of Fine Art © Museum of Fine Art, Houston, États-Unis (fig. 13 p. 23)
New York, Dahesh Museum of Art © Dahesh Museum of Art, New York, États-Unis/The Bridgeman Art Library (cat. p. 124) (fig. 5 p. 35)
New York, Poughkeepsie, Vassar College, Frances Lehman Art Center © Vassar College, Frances Lehman Art Center (cat. p. 125)
Norfolk, Chrysler Museum of Art © Chrysler Museum of Art, Norfolk, États-Unis/Jordan (fig. 1 p. 31)
Richmond, Museum of Fine Art © Museum of Fine Art, Richmond, États-Unis (fig. 12 p. 49)

Japon :
Tokyo, National Museum of Western Art © National Museum of Western Art, Tokyo, Japon (fig. 13 p. 50)

Pays-Bas :
Arnhem, Museum voor Modern Kunst © Museum voor Modern Kunst, Arnhem, Pays-Bas (cat. p. 130)

Russie :
Moscou, musée Pouchkine © Pushkin Museum, Moscow, Russia/The Bridgeman Art Library (fig. 2 p. 55)

Suède :
Göteborg, musée des Beaux-Arts © Goteborgs Konstmuseum, Sweden/ Giraudon/The Bridgeman Art Library (fig. 3 p. 56)

Suisse :
Bâle, Kunstmuseum, Kupferstichkabinett © Kunstmuseum, Bâle, Suisse (fig. 4 p. 44)

Collections particulière :
(cat. p. 70, 134, 139) (fig. 2 p. 13, fig. 4 p. 15, fig. 16 p. 26, fig. 7 p. 37, fig. 8 p. 46, fig. 11 p. 49) (p. 4) © cliché Gabriel Coutagne (cat. p. 106) © Photo Alberto Ricci – Boquet et Marty de Cambiaire Fine Art (cat. p. 109)

Tous droits réservés :
(fig. 6 p. 18, fig. 8 p. 19, fig. 8 p. 37, fig. 3 p. 43, fig. 10 p. 48, fig. 4 p. 57, fig. 6 p. 57, fig. 8 p. 59)

Photogravure : Quat'Coul
Achevé d'imprimer en mai 2012
sur les presse de Labanti & Nanni